15 ouvrages en 30 ans

p 12 1er vol de ses mémoires
"cette grande mutation

16 3 stages AM - le rêve
w/AM - le génie
après AM - Clara

le couple comme symbole NB

17 une féerie une petite

18 Jan 1942 Toulouse (123) AM + Clara split p19

21 épouse vs écrivain de second ordre

30 mort du père à 13 ans

32 mère remariée par dépit. parlant de se tuer

34 elle retouche "l'image d'AM"

39 enfance: dissimuler q.c.

(41) → la liberté de fabuler + 93 / NB → des contes de fée

42 les parents ne désirent pas une femme de foyer chez elle

67 amour est une conversion NB pour lui

71 { l'homme doit rendre une f. heureuse

72 se voir dans un miroir

72 le tout dans l'amour pour les femmes

74 la femme { l'Unique + tous les autres

153 12 fois en Israel

75 "J'ai toujours plus ou moins écrit ou du moins rapporté."

159 l'intolérance de l'Occident

188 - late

79 Cambodge: e.g. où triomphe les faits (la colonisation) Clara → e.g. il disputerait à Clara et à + lo d'avoir signé les Manif des 121

98 l'adultère m vs f

99 sa fille d'avoir le respect du compagnon + son travail

105 Rahel - fille juive et l'acquis culturel

174 body rhythm m vs f in arts

133 + lo complice de son père dans l'art

Collection Terres des Femmes

68 la misogynie d'AM - il voulait qu'elle soit lui

70 Clara: les limites de son corps NB

aimer = homme vs femme NB

1934 Clara + Leeman Politiers Rou Begin 120

1921 she 24 he 19 NB → pour éviter être "vieille fille" (25)

CLARA MALRAUX

DU MÊME AUTEUR

Un champ de bataille et de blé, la région nord de Meaux, Prix Sully-Olivier de Serres, 1975.
Flash back, entretiens de Pacific Palisades avec Henry Miller, Stock, 1976.
Christophe ou la traversée, roman, Julliard, 1979; Livre de Poche, 1980.
La Culture aux ailes de brique suivi de L'*au-devant,* ouvrages couronnés par l'Académie française, Albin Michel, 1979.
Le Monde éternel des éons, en collaboration avec Jean Charon, Stock, 1980.
Stock 1708-1981, trois siècles d'invention, Presses du Village, 1981.
Les flammes de la Saint-Jean, roman, Albin Michel, 1982. Grand Prix de l'Académie du Vernet 1983 (Centre culturel Valery-Larbaud).
La Brie qui rêve, contes et légendes choisis, Presses du Village, 1983.
Au village de Brie, 1984, Presses du Village. Prix de la Société des Gens de Lettres 1984.
La Brie qui pense, Histoire de la littérature entre Seine et Marne, 1985, Presses du Village.

EN PRÉPARATION

Histoire de l'aristocratie française de 1789 à nos jours, Albin Michel.
Du bon usage de l'Avenir (essai).
La Croisière bleue (roman).

CHRISTIAN DE BARTILLAT

CLARA MALRAUX

Le regard d'une femme sur son siècle

Biographie-Témoignage

Librairie Académique Perrin
8, rue Garancière
PARIS

ISBN 2-262-00391-2

A Florence Resnais
en souvenir de sa mère

Avant-propos

Clara l'abeille

Je l'ai connue tardivement. Elle est pour moi la femme du soir, qui garde toutes les ressources du matin. Témoin, elle l'a été tout entière, comme si sa vie était un film qu'on pourrait tourner à l'envers. Mais elle veut aussi, du début jusqu'à la fin, s'affirmer comme Clara sans Malraux, bien que cette longue aventure (la rencontre d'un homme et de son prodigieux regard) ait laissé en elle des traces ineffaçables.

Si mes rencontres avec André Malraux furent des fulgurances, celles que j'eus avec Clara, à l'inverse, m'apportèrent une progressive ouverture sur la vie, l'approche essentielle d'un témoin, d'une femme, à travers laquelle j'abordai les autres femmes. Tant pis pour nous, les hommes, et tant mieux pour les femmes si la bonne gifle qu'elles nous donnent aujourd'hui nous pousse à aller de l'avant. A force de nous accuser, elles finiront, peut-être, par nous enrichir.

La première fois que je rencontrai Clara Malraux, ce fut, en toute intimité, devant trois millions de personnes, chez Bernard Pivot, projecteurs au-dessus, caméras glissant autour, spectateurs dans le dos. Nous étions face à ce magicien, endurci d'avoir mené le jeu inquiétant des notabilités de ce monde. Clara était assise à côté de moi sur le ring sans filet. En cachette des écrans, déjà complices, nous bavardions et, me trouvant en troisième position, je me détendais avant d'attaquer mon sujet en public : Henry Miller, qui, de sa Californie « tibétaine » m'avait enseigné à vieillir à l'envers. Devant nous, siégeait la Gorgone : Claire Goll, pourfendeuse de génies qu'elle jugeait tous inhibés par de petits tas de secrets, aussi superbes pour leurs admirateurs que détestables pour celles qui partagèrent leur vie. Avant mon tour, venait celui de Clara. Je n'écoutais pas un mot (je préparais les miens), mais dans la joute qui se déroulait devant moi, je sentais entre ces deux femmes deux présences, deux attitudes contradictoires : cassée, Claire Goll désespérait des autres et d'elle-même, tandis que Clara Malraux espérait en elle-même afin de ne pas désespérer des autres.

Dès lors, après ce premier rendez-vous « intime », je revis sans cesse Clara pendant neuf bonnes années : dans la maison d'édition qui avait publié en son temps *Par de plus longs chemins,* et je la regarde encore, discutant avec Isaac Bashevis Singer qui venait d'obtenir chez nous le prix Nobel pour avoir su réveiller dans le plus vrai que vrai les millions de morts de sa Pologne natale ; chez elle dans son appartement mouchoir de poche, petit monde allégrement refermé sur lui-même, puis rue de l'Université où, non loin de sa fille et tout près de ses amis, assise avec moi devant une table ronde, elle me raconta deux années de suite ce dernier moment de ses Mémoires ; chez moi aussi, avec mes enfants, lesquels n'ont jamais oublié cette présence d'une femme que la vieillesse avait éveillée.

Lorsque les êtres chers ont disparu, on s'en veut de ne pas les avoir regardés assez. Ce fut un peu mon cas, tant l'intensité de mon écoute et l'ardeur de mes questions avaient atténué l'attention du regard. Pourtant, souvent, et de plus en plus, je la sens, entre mes lignes à mesure que j'écris et que mes phrases — qui sont les siennes — se dessinent sur le papier : petite et habituée de l'être devenue ; les yeux gris pers, à la fois cassés comme un vitrail, et saisissants comme l'acier ; le visage dont les rides sont des sourires figés, la bouche impertinente, les cheveux gris-blond de petite fille et le corps tout entier d'une présence totale intéressé de vivre. Et puis cette voix — que je n'ai jamais voulu écouter sur les bandes depuis, de peur de voir soudainement apparaître quelqu'un d'autre que je n'aurais pas connu : cette voix d'Esther venue des hautes gammes, dans toutes les tonalités de l'intérêt, des éclats de rire ou de l'exaspération contenue. C'est ainsi que peu à peu, au fil des ans, je découvrais cette femme qui avait le don de ressembler à chaque instant à elle-même et d'être par son simple visage, ouvert, inquiet, quelquefois virulent, le résumé de sa vie... Je saisissais un peu mieux l'attirance qu'elle avait pu exercer sur ce compagnon acharné à tout comprendre comme un soleil enfoncé dans la nuit et qui devait trouver en elle comme moi les irradiations multiformes de la divine fantaisie.

« Toujours malade, me dit-elle en souriant, le docteur m'a dit que je mourrai avec bonne mine. » Ce fut le cas. Qui nous avait unis en de telles circonstances ? Pas forcément un rapport de mère à fils, ni de père avec une petite fille qui n'avait jamais su vieillir. Ni même, à part la féroce envie de vivre, une vraie communauté de vue. Peut-être étais-je un simple compagnon de route qui, faute de la mener vers l'aventure, l'engageait dans la voie de la complicité. N'avais-je pas, comme Malraux, construit ma vie au-delà de la mort — rencontrée tout enfant — et de l'autre côté du désespoir, à l'inverse de celle qui, devant moi, avait bâti la sienne, chassant d'un coup d'éventail toutes les désillusions, sur quatre-vingt-quatre années d'espérance... Mes faux Mémoires d'outre-tombe attiraient-ils sans que je puisse m'en rendre compte celle qui avait écrit en six volumes ses carnets de la vie ?

Un jour que non loin de la rue de l'Ancienne-Comédie — la bien nommée — je me trouvais à déjeuner en sa compagnie, elle me fit part de son souhait de réaliser un livre d'entretiens.

— Ce sera difficile, lui répondis-je, dans vos Mémoires vous avez déjà tout dit... et le reste.

— Pas du tout. Mon sixième tome des *Bruits de nos pas,* vous le savez bien, se termine en 68. Près de quinze ans déjà !

— Vous ne voulez tout de même pas livrer encore — fût-ce sous forme d'entretiens — un septième volume ? Franchement, ce serait trop.

— Non, pas du tout ; je veux simplement témoigner que le monde a changé, et largement dans le bon sens, depuis quatre-vingt-trois ans que je vis : je veux dire que la petite fille que j'étais au début de ce siècle vivait dans un univers sans commune mesure avec celui d'aujourd'hui. Je veux témoigner de cette grande mutation, car je l'ai vécue de bout en bout. Il s'agit pour moi d'un sentiment intime qui m'a portée tout entière. Ce n'est pas qu'il existe moins de malheurs et d'atrocités aujourd'hui qu'hier. Quelquefois hélas c'est pire. Non, c'est autre chose de plus profond, de plus important, de plus humain qui, sans que nous en ayons conscience, nous prépare des êtres pour demain qui, je le crois, vivront différemment et beaucoup mieux qu'aujourd'hui.

Les femmes sont enfin sorties de leurs enchaînements millénaires.

— La Naissance de Vénus, et sans corsets.

Les enfants ne sont plus de petits hommes ? Ils sont des enfants, voilà tout : A part entière.

— Vous savez aussi, me dit-elle, à quel point le judaïsme me semble avoir apporté au monde une contribution décisive sur cette planète où je vois apparaître un métissage généralisé. Voilà un sujet qui me tient à cœur.

— De bons chapitres en perspective...

— Savez-vous aussi que le regard d'aujourd'hui n'est plus celui d'hier. Dans le passé, nous vivions dans la fixité, et aujourd'hui tout bouge...

L'Absolu a été chassé par le Relatif et le Dieu d'aujourd'hui se nomme Incertitude... Nous en reparlerons.

Ce mot « nous », surgi par mégarde, me décontenança. Je regardai ma voisine et me repris aussitôt :

— Eh bien, tout ceci est excellent. Il ne nous manque après tout que l'accoucheur.

— Le provocateur

— et le complice.

— Qui ?

On lança quelques noms sur le tapis.

— Et si c'était moi ? lui dis-je avec une certaine gêne.

— Vous le feriez vraiment ? répondit-elle en me prenant la main.

— Bien sûr, et si vous le voulez, tout de suite.

Dès le lendemain, avec ma petite « boîte à paroles » que j'avais emmenée aux quatre coins du monde, je me trouvai 191, rue de l'Université devant Clara, et sa chatte, obstinément couchée sur l'appareil qu'elle avait pris pour un oreiller.

— Du reste, lui avouai-je, cet objet qui doit avaler nos paroles m'a souvent joué de bien vilains tours. Aux moments les plus intenses il lui arrive de refuser de travailler : Raymond Devos avait inventé chez moi un sketch irrésistible. Je courus vers l'instrument et le branchai à toute vitesse pour y capter un grand moment de création improvisée.

— Voilà, dis-je à Devos, vous allez être content. Je vous ai pris à votre insu.

— Bonne idée. Ecoutons.

On retourna la manivelle. Un bouton qui s'était bloqué. La réponse était un silence. Devos était triste et moi rouge de honte.

— Pour le moment, dis-je à Clara, nous allons préparer l'entretien, découper les chapitres, éviter le mélange ou la superposition. Il faudrait aussi que, pour le coup d'envoi de la semaine prochaine, vous puissiez me confier certains de vos livres que je n'ai pas.

— Ah! ce sera difficile. Oui, peut-être là sous l'étagère. Vous savez, je suis un peu désordre.

Chaque mercredi « nous tournions »; souvent on sonnait à la porte : une petite fille venait chercher un bonbon. La chatte en profitait pour filer dans les escaliers. Une bonne dizaine de minutes pour la rattraper... puis le temps de retrouver le fil.

Combien de fois me suis-je dirigé vers cet heureux caravansérail? Peut-être cinquante ou plus, et bien cent heures face à celle dont j'écoutais avec délectation les paroles se glisser dans la boîte magique. Certaines séances étaient bien tenues, concises, solidement charpentées. D'autres étaient décevantes : nous nous laissions aller, oubliant la machine qui continuait à galoper pendant que Clara s'écartait de « l'animal » pour aller quérir sans succès un papier, une photo, un livre dans le tiroir de sa commode ou sur une étagère.

Au fur et à mesure, je faisais décrypter les bandes. Pages merveilleuses, pages impossibles, pages prometteuses. La matière humaine ne se laisse pas prendre aussi facilement : le dire n'est pas forcément l'écrit autant que l'inverse.

Vers la fin nous avions un véritable pavé. Puis le

texte, à force de couper, retrancher, rajouter, malaxer, se dégonfla comme une baudruche afin de garder l'essentiel.

Celle qui avait écrit seize livres et cinq mille pages m'avait dit cent feuillets dont j'étais loin de penser à l'époque qu'ils étaient son dernier message.

Ce livre fut pour moi une belle randonnée vers les femmes, un chemin, une voie, peut-être une tentative pour me mettre à la place de l'autre dans une participation aussi totale que distante. Totale pour aimer, distante pour respecter. J'avais déjà accompli plusieurs de ces grandes traversées à travers d'autres êtres — qui m'avaient ensuite laissé retourner à moi-même, pleinement enrichi de leur altérité. Avec un Noir, James Baldwin [1], sans être noir, j'étais revenu tout bariolé. Avec un vieux gourou, Henry Miller, qui en quelques séances, et sans que je sois devenu son disciple, m'en avait tant appris sur la vie que je revenais à moi avec ces forces de l'enfance renouvelées qui me projetaient en avant; avec un physicien, Jean Charon — moi qui ne connaissais rien à la physique — je rentrai d'un long voyage dans l'espace, réconcilié avec le temps. A présent, dans ce quatrième périple, je faisais le chemin avec une femme, juive, sans être ni juif ni femme. Et le bout de ce voyage, aujourd'hui, je le vois : l'approche de cette féminité m'a sans doute fait meilleur homme que je ne suis; celle de la judéité m'a sans doute rendu moins mauvais chrétien que je n'étais. Toutes ces randonnées, celle-là surtout, furent comme la descente successive de la grâce, et le chemin

1. Entretien non publié.

des autres sut me remettre chaque fois sur la route de ma propre vérité.

Bien sûr j'avais lu, annoté, les six tomes où Clara avait conté sa vie remplie à pleins bords. J'avais lu et relu tous ses livres, ses articles, ses piécettes de théâtre qu'elle ne désespérait pas de voir jouer. Mais je voulais en savoir plus, et Clara désirait se dire à nouveau. J'ai donc vu trois épisodes qui la rendent parfaitement cohérente : avant Malraux, le Rêve, avec Malraux le génie, après Malraux Clara... Cette triple dimension successive pourrait bien être aussi ce rythme qui berce la vie de tant de femmes : ce rêve de toutes les petites filles qu'elles sont chacune pour les porter au long de leur histoire ; cette aventure qu'elles veulent presque toutes entreprendre et subir, d'où surgiront leurs plus beaux souvenirs lorsque les rêves de leur enfance se matérialiseront dans ceux de leurs propres enfants ; et cette réalité, ces contraintes de la vie balayeront progressivement les rêves et disperseront l'aventure, ne laissant que des femmes superbement construites pour affronter le temps. Et ce couple — l'un des plus extraordinaires de ce siècle — n'est-il pas aussi le symbole de cet amour que portent tant de femmes à leurs compagnons de route, désir d'aimer, et nécessité de ne pas devenir un miroir, un reflet, une simple transparence. C'est en ce sens que cet ouvrage qui se veut un éloge de Clara Malraux est aussi l'Eloge de toutes les femmes : il les aidera sans doute à se mieux comprendre et permettra peut-être aux hommes de les mieux aimer.

Avant Malraux le Rêve

Avant Malraux, elle est jusqu'à vingt-quatre ans l'éternelle petite fille : chimérique mais déjà incarnée, elle vit une enfance écartelée. Or déjà Clara est prête à vivre, à recréer sa vie en face de la mort car elle possède profondément le sens de l'une et de l'autre, et comme tous ceux qui très tôt songent à la mort, elle n'aime guère les gens trop sérieux. C'est sans doute une des explications de la future équipée avec l'homme « le plus génial et le plus farfelu de ce siècle », cet homme dont elle ne se séparera que pour ne pas mourir. Celle qui vécut enfant dans un perpétuel conte de fée n'a jamais cessé de croire jusqu'à la fin que cette féerie se prolonge aujourd'hui dans un rêve que les hommes peu à peu réalisent. Portée par ce rêve d'ici et d'ailleurs, d'hier et de demain, Clara trouvera dans les contes le meilleur de sa vie : Clara sera l'incarnation de ce rêve d'une petite fille solitaire, tandis qu'André forgera les rêves de Dieu dans l'instant de l'histoire : différence ou coïncidence absolue. On ne sait.

Avec Malraux : le génie

A vingt ans, rompant ses premières fiançailles éphémères — en ce temps où les femmes ne veulent être qu'à elles-mêmes —, Clara attend tout de la découverte de cette vie qui demeurera jusqu'au bout la divine surprise. Déjà elle a traduit Novalis et Hölderlin. Elle est prête le jour où dans un dîner anodin apparaît la silhouette d'André Malraux : il sera pendant quinze ans l'incarnation de son amour, l'aliment de son esprit et le meneur d'une aventure qui les conduira vers les quatre coins du monde, là où il se passe toujours quelque chose. Il apportera le génie, elle donnera la présence, la fantaisie et servira de garde-fou dans ces équipées souvent rocambolesques qui, dans un monde neuf et désespéré, les menèrent sans cesse à la recherche de ce qu'ils étaient, sans savoir très exactement comment pouvoir y aller.

D'abord troublée par cette première rencontre,

Clara est ensuite éblouie, puis lâchée, rejetée, presque détruite, elle n'oubliera jamais celui qui l'avait fait accéder à ces lieux étranges où seule elle sentait qu'elle n'aurait jamais osé parvenir : le vrai monde des dieux, qui rassemblait dans un Panthéon mondial toutes les féeries de son enfance. Il était la vision, elle était le regard.

Pourtant l'aventure s'estompe dans le souvenir, tandis que le combat de Clara se poursuit dans la réalité de la vie conjugale « pour ramener cet homme dont les yeux assoiffés d'absolu se perdent au loin ». Plongés dans la vie du monde littéraire parisien, chaque jour un peu moins complices, le compagnon qui avait été l'Inconnu devient peu à peu l'adversaire. Cela ne les empêche pas de se battre encore ensemble.

A l'extérieur les directions commençaient à diverger. A l'intérieur, après avoir été pendant quatre ans compagne d'aventure, Clara s'efforce « pendant quinze ans de jouer les épouses et y parvient fort mal ».

Elle refuse d'être l'astéroïde d'un Saturne dont la lumière dangereuse est en train de l'anéantir. A sept ans, elle avait voulu tout rêver, à vingt ans tout vivre, tout savoir, à quarante, elle voulait simplement rester elle-même, regarder avec ses propres yeux et non pas à travers ceux d'un homme qui avant de la rencontrer pensait que l'existence des femmes était « douteuse ». Certes, il lui avait donné la monnaie de l'Absolu, mais la vie de Clara désormais va consister « à redevenir bêtement adulte, et s'il se peut lucide et active ». Il fallait repartir de zéro.

« Je devais, nous dit-elle, garder l'essentiel de ce qui l'avait intéressé en moi et qu'il détruisait chaque jour... souvent le combat que je menais contre lui pour me maintenir, pour ne pas devenir un écho, ou un miroir, l'atteignait au plus vif de son orgueil. » Ce fut le cas de ce *Livre de Comptes* — nous en parlerons — que Clara avait conçu comme une déclaration d'amour à son seigneur et maître, et qu'il prit pour un affront...

Elle reconnaît sa supériorité évidente. « Je l'écoute, je l'admire. Je me dis : il occupe tout l'espace... Il était mon délégué vers le monde extérieur qui ne me parvenait plus qu'à travers la brume d'une vitre dépolie. Vivre avec lui (d'autant qu'il vivait déjà avec une autre) était un cadeau royal que je payais de ma disparition. »

« Finalement, conclut-elle, Zelda (Fitzgerald) et moi avons souffert de compagnons trop brillants que nous avons choisis parce que nous avions quelque jugement. Ce choix fait, il nous a fallu abdiquer ce qui nous avait amenées à le faire. Nous n'avons pas pu. Elle est devenue folle. J'aurais pu le devenir. Je n'aurai pas eu le temps car voilà que s'achèvent les années passives. »

Désormais la vie de Clara reste un combat souvent inégal contre la bêtise et le génie ; avec le génie, la compréhension fut d'avancer au hasard, mais dans le même sens : « Si je n'ai jamais cru qu'il était le seul homme qui pût me donner du plaisir, dit-elle, j'ai cru longtemps qu'il était le seul auprès de qui je ne me lasserais jamais de marcher. Longtemps j'ai cru qu'il était le seul homme dont les rêves recoupaient les miens...

Le 18 janvier 1942 à Toulouse, à la terrasse d'un café de la Place Wilson c'est la rupture avec celui qui voudrait encore aller en Chine « où quelque chose ressemble à nos espoirs ». Malraux va — assez tard — s'engager dans le combat de la Résistance et devenir le chantre du gaullisme, puis le porte-parole de l'armée des ombres et l'inlassable artisan des lumières de son siècle clair-obscur.

Après Malraux, Clara telle qu'en elle-même

Vingt ans avec le rêve, quinze ans avec le génie. Clara va passer maintenant l'autre moitié de sa vie avec elle-même. Déjà, pendant la guerre d'Espagne, elle avait commencé à « posséder des domaines personnels », notamment en participant à la résistance allemande « qui la concernait plus directement, là où elle était utile, nécessaire ». Mais sa première grande victoire, ce fut la naissance de son enfant, Florence. L'accouchement : une certaine manière exclusive que les femmes peuvent avoir de s'enchaîner — sans se perdre — à la liberté d'un autre être.

L'enfant grandit, fragile, soutient sa mère qui la soutient, et lui permet avec la guerre de supporter la cassure, de se désintoxiquer du génie dont l'absence creuse un grand vide dans sa vie.

Emigrée au sud de la France, dans les Causses, à Toulouse, à Montauban, bientôt revenue à l'errance éternelle de son peuple, dangereusement exposée, Clara sera sauvée pendant quatre ans de guerre par la présence de quelques amis qui peu à peu l'entraîneront dans la Résistance. Par un féroce amour pour sa fille, le combat pour exister dans le quotidien, et les vraies retrouvailles avec la longue mémoire du peuple dont elle est issue, avec les amis, intellectuels ou combattants, elle partagera leurs luttes et leurs espérances. Florence soignée, cachée, sera baptisée, mais aussi éduquée dans la nouveauté d'un regard.

La guerre s'achève. Clara en sortira pleinement elle-même et quarante ans de vie vont se dessiner dans le « droit d'écrire », la nécessité de participer et la préférence irrésistible pour « l'ouverture ».

Ecrire... n'avait-elle pas écrit toute sa vie, piécettes, contes, articles, traductions d'œuvres diverses que le grand autre avait balayés d'une phrase définitive :

« Ne vaut-il pas mieux être ma femme qu'un écrivain de second ordre ? » Maintenant elle va pouvoir enfin se rattraper. En plus de trente ans elle nous livrera quinze ouvrages, et divers articles qui sont à la fois le reflet de sa pensée et le témoignage de sa vie. Cette œuvre se déploie dans un certain nombre de directions. D'abord les six volumes de ses Mémoires, *le Bruit de nos pas,* publiés chez Grasset de 1963 à 1977 : dans cet ensemble qui couvre soixante-dix ans de vie pleine, multiforme, deux livres seulement concernent l'avant et l'après Malraux, comme si le génie tombé du ciel et l'aventure nourrie de la terre s'étaient donné rendez-vous pour envahir une vie dont tant d'années sont exclues. Malraux « figure » encore dans deux romans, le *Portrait de Grisélidis* et *Par de plus longs chemins,* qui seront à la fois la réaction d'une femme devenue trop « transparente » et la source vivante de son futur combat féminin.

Tous les autres ouvrages seront d'avant ou d'après le fulgurant passage de « l'homme le plus intelligent et le plus inquiétant de ce siècle ». Des rêves d'enfance nous viennent les *Contes de Perse* et des piécettes de théâtre qui racontent « des histoires sans queue ni tête ». De la guerre subie et libératrice, *la Maison ne fait pas crédit* et *la Lutte inégale* seront les témoignages d'une épreuve surmontée. Les derniers combats de Clara pour Israël — après les engagements pour l'Algérie et les rêves de 1968 — nous donneront à la suite de ses multiples voyages vers la Jérusalem délivrée *la Civilisation du Kibboutz, Venus des quatre coins du monde* et enfin *Rahel ma grande sœur,* portrait d'une autre Clara juive, ouverte et participante, qui vivait dans le siècle d'avant. Si « le peuple des abeilles » revendique sa personnalité, il prône, selon Clara, cette ouverture la plus absolue qui se manifeste dans son livre de voyage *Java-Bali,* — le haut lieu des confluences de cet Extrême-Orient qui fut leur première découverte et son dernier acte de foi dans l'ouverture, le « métissage » et la relativité créatrice.

Et voici maintenant son ultime ouvrage qui est aussi le mien depuis que le partenaire a disparu en me laissant toutes ses traces... Ce n'est pas le septième tome de ses Mémoires, bien que de nombreux nouveaux éclairages biographiques s'intègrent au fil des pages pour sous-tendre sa pensée nourrie de sa vie. C'est un message de quatre-vingt-quatre ans d'espérance qu'elle voulait dire avant de nous quitter : c'est un « Ce que je crois » qui se divise en quatre propositions principales : son unité est la cohérence d'une vie, dont le thème général est l'idée qu'aujourd'hui malgré ses tares vaut mieux qu'hier et moins que demain dans une époque où sans que nous nous en rendions parfaitement compte, l'impossible se réalise. Ces quatre mutations irréversibles sont aussi simples que décisives : Tout d'abord le fait que l'enfant est désormais tenu pour un enfant et non pas comme un petit homme en puissance; que la femme est l'avenir de l'homme et qu'elle va devenir peu à peu le principal aliment de la civilisation qui vient. En troisième lieu que le monde moderne — auquel chacun doit participer pleinement, activement — est la forge d'un nouveau regard, celui du relatif et de l'universelle différence. Enfin, que ce peuple des abeilles dont Clara est issue et qui emporte quatre mille ans de terreurs et d'espoirs, est à la fois dans son identité et dans ses éternelles confluences l'un des éléments essentiels de la grande civilisation mondiale qui se prépare au sein du bariolage humain.

Heureux serai-je si — dans ma solitude peuplée de son regard — j'ai pu rendre cette enfance qui se déverse sur notre route, cette féminité qui stylise les femmes et vivifie les hommes, ce vrai regard qui se projette sur le monde, et ce peuple qui, venu des quatre coins du monde, et peut-être dans la diversité la plus absolue le ciment de son unité.

Ce livre, elle me l'a dit. Je l'ai écrit. Vous le lirez comme la traversée d'un siècle qui après avoir nourri toutes les désillusions peut récolter les miettes de l'espoir.

1

Le droit d'être un enfant ou l'Eloge de l'irréel

Née en 1897, Clara Malraux sera jusqu'à vingt-quatre ans, lorsque la rêverie se transforme en aventure, l'éternelle petite fille telle que je l'ai encore perçue lorsque je suis entré dans les dernières années de sa vie. Chimérique dès l'origine « avec un grain de violence qui à l'improviste éclatait », et lentement incarnée, elle va vivre son enfance juive à fleur de peau. Car l'enfance de Clara ce sera d'abord toute une mythologie et presque un conte de fées : « Dès l'origine, écrit-elle, ma famille me donna trop de dieux... et pourtant, elle était incroyante. » Juifs, les Goldschmidt pratiquaient à peine, mais ils donnèrent à Clara une « Fraulein » protestante qui, si elle empoisonna d'une certaine façon son enfance, lui enseigna à tort ou à raison que l'imaginaire ne doit s'exercer que dans des zones précises. Juive, avec une éducation protestante, Clara fut à Sainte-Clotilde l'élève des écoles catholiques où « la petite cousine de Jésus — facilement redresseuse de torts — savait qu'on ne badinait pas avec les mauvaises lectures ou le manque de chasteté ».

Tout enfant, elle fut, nous dit-elle, tiraillée entre le réel et le magique. Si sa famille lui avait donné trop de dieux, elle lui avait aussi donné deux patries : Paris sur Seine des Goldschmidt l'appelait aux réalités de la vie quotidienne et Magdebourg sur l'Elbe — où vivaient les grands-parents maternels Heynemann — devenait, chaque année, la forteresse des rêves en vacances. A Magdebourg « les fées existaient » et la princesse Ilse dans le Harz voisin, bardé de légendes, quêtait les beaux garçons pour les entraîner à jamais dans son palais aquatique. Tout près, il y avait « la plaine d'or » où retentissaient les cavalcades des hordes d'envahisseurs, et sur la place se dressait la statue d'Othon le Grand entouré de ses deux femmes, Edith de Saxe et Théophano de Byzance, symbolisant à jamais le dialogue et l'affrontement de l'Est et de l'Ouest. Clara y passait chaque année des étés superbes, en promenades, chansons et courses dans la forêt, patrouillant dans les Nibelungen « au point que Brunehilde et Kriemhild se confondaient avec Frédégonde et Brunehaut ».

Pourtant, en ce début de siècle, les livres d'images là-bas commémoraient « la victoire de 1870 » au moment où Clara, Allemande par le rêve, Française par l'esprit, plantait un drapeau bleu blanc rouge sur les fortifications de Magdebourg que la petite Jeanne en puissance aurait bien échangé contre l'Alsace-Lorraine. Ce rêve, c'était aussi l'arrachement. Revenue dans la maison parisienne de l'avenue des Chalets où les jours se déroulaient, calmes, réguliers, minutés, Clara « marchait encore dans l'irréel avec plus d'aisance que dans le réel » : dans le jardin de Passy, le mur mitoyen couvert de lierre « formait, nous dit-elle, le fond de mon éternelle rêverie enfantine et c'est devant lui que s'animait mon petit théâtre intérieur. Quand on l'a détruit, pour le reconstruire ailleurs, mais sans feuillage, une forêt entière a disparu où se perdaient le Petit Poucet, Hansel et Gretel et les Babes in the wood ». Ce mur-cinéma de l'enfance, ce coffre-mystère où elle cache ses trésors, ses pierres, ses poupées et ses nains dont elle se sent la souveraine au sein d'une ville lilliputienne, où s'enlacent Paris et Magdebourg, sera la toile de fond d'une course un peu chimérique que Clara poursuivra toute sa vie : n'est-ce pas dans un autre livre d'images, à Baden-Baden, le jour même de la mort de son père, que la jeune fille verra se profiler ces temples d'Angkor qui seront un jour l'appel d'une aventure « surréaliste ».

Si l'enfance de Clara fut une longue rêverie, l'atmosphère familiale la prépara plus que beaucoup d'autres à une véritable ouverture, à la conquête d'une plus grande liberté : la petite fille « ne se souvenait que de ce trisaïeul dont le portrait placé dans le salon la distrayait de l'ennui des gammes » : chimiste, il transportait tant et si bien des explosifs de pays en pays qu'à la douane, un jour, douanier, grand-père et sans doute pavillon de contrôle sautèrent à la fois ! Si du côté de ce trisaïeul Clara trouva peut-être le sens de l'absurde, c'est sans doute sur les traces de sa grand-mère maternelle qu'elle puisa son goût de la liberté. Car la belle Louise Heynemann — qui régnait sur les vacances de Clara dans la maison familiale de Magdebourg — apparaît comme une femme dont la vie n'était pas d'un modèle commun. N'avait-elle pas eu, pour son époque, une jeunesse orageuse : « A dix-huit ans, elle se fit enlever par un homme qui l'épousa puis se suicida. Elle allait convoler en justes noces avec un autre, lorsque par amour le grand-père de Clara l'enleva à son banquet de fiançailles ! » Dans le sillage de cette aventure, on comprendra que Clara ait milité toute sa vie pour la liberté des femmes et le droit naturel « à certaines irrégularités ».

Mais la « belle Louise » n'était pas seulement « l'aventure », elle était aussi le symbole, face à une fille plus ou moins craintive, de ce curieux matriarcat typiquement juif qui régnait avec elle dans la famille où les hommes, pourtant plus nombreux, jouaient un rôle relativement effacé... « A chaque génération apparaissait dans la famille une fille — unique — entourée de garçons. » Sa grand-mère, vive, animée, participante, le fut entre son mari et ses oncles comme Clara elle-même le sera entre ses deux frères dont l'aîné demeura son héros et le cadet « qui aurait fait une fille charmante », « l'éternel bébé sur lequel se projetait son affection ». « Tant d'amour, ajoute-t-elle, était déversé sur nous que nous nous sentions des créatures précieuses et forcément ingrates... » Là-bas choyée, déjà sacrée poète en herbe, elle devenait l'élue, « la fille à qui on remet l'héritage d'espoir qui selon l'usage revient au garçon ».

Le jour où Clara, cessant d'être élue, sera rejetée, elle en souffrira plus que tout autre... Pourtant l'image de la belle Louise, vivante, ouverte, indépendante et souvent révoltée, restera pour toujours dans l'esprit de sa petite-fille écartelée, de la femme reconnue puis repoussée et de la toute jeune vieille dame rêveuse et quelquefois indignée. « Sans ma grand-mère, nous dit Clara, serais-je ce que je suis », assumant ainsi les pesanteurs et les libertés que suscitent ceux qui deviennent nos maîtres, lorsque disparus ils vivent en nous : c'est de l'autre côté de la vie que gagnent le plus souvent ceux qui nous l'ont donnée ; ils peuvent aussi bien nous transmettre d'autres forces que provoquer en nous de nouvelles inhibitions...

Rêveries solitaires, libertés sans limites seront progressivement atténuées par la lutte avec le réel qui sous toutes ses formes donnera à la fille d'Otto Goldschmidt le sens de la responsabilité. Et la première réalité, dans toute sa nudité, qui pèsera sur une jeune fille de treize ans, sera la mort du père devant lequel une épouse vivait dans l'attente effacée. Car le père — souffrant, souvent éloigné — se devait de gagner l'argent que le grand-père avait dépensé. « Il vivait donc dans une aisance sans liberté. »

« Entre mon père et moi, écrit Clara, il y aura toute la distance d'un premier amour que je n'ai pu vivre jusqu'au bout... De lui il me reste un mélange d'ironie et de gravité... les yeux ont le regard court des miens et leur fausse dureté... Sa maladie dura cinq ans... Elle était d'une parfaite discrétion. Au Cap-Martin, mon père me sembla vulnérable. Je le trouvai beau. Je le trouvai jeune, j'étais fière de lui. »

Pourtant quelques mois plus tard, en 1911, à Baden-Baden elle le découvre sur son lit de mort. « Deux choses me surprennent dans cet homme allongé : il ne porte pas de lunettes, sa respiration ne soulève pas le drap. Mon père est beau. Désormais il va m'appartenir, il ne vieillira plus... un jour nous aurons le même âge, un jour je serai sa sœur aînée... Il ne m'a pas appris tout ce que j'attendais de lui... J'allais un jour être habitée par un autre. J'ai accepté que mes yeux aient le regard dur de mon père, je me suis entendue parler d'une voix métallique. Je devais être la fille d'Otto Goldschmidt pour l'éternité. » Pourtant, « devenue son père et couchant désormais dans son lit », Clara se sentira désormais responsable des siens. Soudain, elle sut que son premier devoir était d'être heureuse d'avoir un corps, de ressembler à elle-même... Celle qu'on appelait le « petit pot à larmes » tant elle pleurait fréquemment, se « transforma en une jeune personne rieuse, dépourvue de vraie beauté, mais douée d'une telle vitalité qu'on devinait qu'elle pourrait s'en passer pour plaire. La mort d'un homme lui fit assumer désormais son rôle de femme ».

Ce rôle, elle va le jouer une seconde fois devant la réalité de la guerre, avant de réparer les dégâts d'un génie enfantin et de prendre en charge enfin pleinement son existence solitaire. Car la guerre de 1914 pour Clara devenait une confrontation intérieure. Elle lui enlevait son enfance et rejetait Magdebourg beaucoup plus loin, dans le camp de l'ennemi, au moment où la statue de Strasbourg sur la place de la Concorde était enveloppée de crêpe. Son frère aîné était devenu soldat, « un grand garçon transformé en grognard révolté » auquel elle envoyait des lettres gribouillées un peu partout. « Il ne répondait pas, les héros n'écrivent jamais. » En permission il hurlait que « les civils le dégoûtaient » et que « les officiers étaient des brutes qui exposaient par pure gloriole leurs hommes à la mort ». Responsable de son frère, Clara le fut surtout de sa mère, née allemande, qui, menacée d'un procès en dénaturalisation, parlait de se tuer. Le passage du monde de l'étude au monde de l'action, Clara le fit à cette époque dans le bureau d'un oncle : « Ne quittez pas votre mère, lui dit-il, c'est vous qui avez en main les éléments de sa défense. » Clara était décidée à lutter « corps et âme, tête et charme ». Un non-lieu mit un terme à l'injuste accusation.

On ne saurait séparer totalement cet épisode de celui qui, presque dix ans après, fit de la complice du délit de vol des statues d'Angkor l'avocate la plus efficace — et si peu remerciée — d'un génie qui, par un sens du jeu presque métaphysique, s'était mis dans de bien mauvais draps. Clara simula un suicide, une dépression, et remua ciel et terre pour que Malraux fût blanchi. Il le fut — et si plus tard il lui laissa son nom, sur le moment, il ne sembla guère avoir reconnu ses mérites ni accepté le fait qu'elle l'avait vraiment sauvé.

Responsable devant la mort, la guerre, le compagnon aussi génial qu'inconséquent, Clara le fut dans sa maternité solitaire. « Dans notre personnelle oasis avec André Malraux au retour d'Indochine, écrit-elle, mon désir, mon besoin d'avoir un enfant s'affirma. A quoi bon avoir toujours éprouvé être une femme si ce n'est pour connaître un destin féminin. Et Florence est née d'un accueil si complet de ma part (d'André aussi) que je ne connus qu'une douleur proche d'une crispation assez courante... Pour la première fois j'appartiens pleinement à la nature... Sentir un autre être se former en soi avec son plein consentement, éprouver la naissance comme une collaboration, devenir Dieu un moment... A ce côté divin de la maternité triomphante s'oppose cet instant d'abandon propre au vide de la création. En la voyant détachée de moi j'ai compris que j'étais mortelle. Je n'existerai plus. Elle existera encore. J'avais créé, il fallait que je disparaisse. Elle portait son destin. Il y avait une partie d'elle que j'ignorerais toujours. On me la montra toute langée, elle que j'avais fabriquée nue comme au jour de la Création... quelques semaines plus tôt, héritière du don prophétique de ma grand-mère, ma fille m'était apparue dans un rêve, semblable à celle qu'on me montra alors, frêle vierge aux yeux immenses, totalement autonome, venue d'un ailleurs que j'ignorais. " Ma petite étrangère " fut le salut que je lui adressai. »

Devant cette joie, cette approche de la divinité, il y aura cependant le regret de la mère juive mettant un enfant au monde dans des temps dangereux. « Je n'aurais pas conçu mon enfant, ai-je murmuré, si j'avais prévu le succès d'Hitler », et d'ajouter : « Je voulais lui donner ce que les collines promettent. Elle connaîtra l'Europe hostile et dévastée. »

Bien plus tard, « venant de voir mourir un certain homme auprès d'un guéridon de café à Toulouse », Clara se sentira à la fois libre et totalement liée à sa fille. Cette fois elle repartait au plus bas... seule pour retrouver et construire sa propre vie. A Toulouse où elle s'est réfugiée en 1941 « l'éclairage mettait d'autres points en relief : le danger, la solitude, la maladie de mon enfant ». Et d'abord Clara doit peu à peu se débarrasser physiquement de son compagnon, pour admettre intellectuellement toutes les traces que ce génie a pu laisser en elle. En ce sens, ce passage de ses Mémoires est un des plus significatifs sinon le plus émouvant : « Pour admettre cet étrange présent qui

était le mien, il fallait retoucher l'image de l'homme qui pendant des années avait donné un sens à ma vie... Il imposait ses fantasmes aux autres au point qu'ils devenaient réalité. Cet *enfantin tricheur* était aussi l'auteur de *la Condition humaine,* de *la Tentation de l'Occident,* de *la Psychologie de l'Art,* celui qui avait fait entrer la révolution contemporaine dans notre littérature, qui avait su imposer à notre pensée occidentale la confrontation avec une pensée orientale, à la fois traditionnelle et nouvelle... celui qui avait découvert la vie sans cesse mouvante de l'œuvre d'art dans le temps. Celui qui avait mûri sa pensée à mes côtés, je ne pouvais l'oublier. Son absence créait en moi une plaie que personne ne pouvait cicatriser. Que j'aie pu surmonter le vide immense de son absence, je le dois à la guerre et à la persécution. Que serais-je devenue si je n'avais pas été contrainte de songer davantage à mon enfant qu'à lui, si je n'avais dû me battre contre un ennemi plus dangereux encore pour moi qu'il ne l'était, lui. » « Fuite ou voyage initiatique? L'un et l'autre sans doute. Eternelle mère juive avec son amour de panthère tenant par la main l'enfant sans même le compagnon et l'âne. »

Exilée à Toulouse, avec quelques amis, bientôt menacée, obligée de se déclarer aux autorités administratives, Clara ne va plus cesser de protéger la petite Florence qui est en train de mourir de faim. Elle la fera baptiser, lui fera faire sa première communion et courra sans cesse à la recherche de faux papiers pour éviter l'inéluctable arrestation. Par la lutte et les subterfuges, elle cherchera sans cesse à ce que sa fille ait le droit de devenir une enfant comme les autres. « Ma petite fille, écrit-elle dans ses Mémoires, est-ce pour que tu vives sur cette terre de haine que je t'ai portée en moi avec tant d'amour? Pourras-tu un jour me pardonner, pardonner au monde entier cette enfance d'adulte traquée. » Et elle ajoute : « Flo devenait de plus en plus petite, dans son visage comme au premier jour, il n'y avait plus que des yeux. Mon enfant aux grands yeux comme ceux de son père, moins gris que les miens mais qui déjà avaient mon regard court, ce regard spécifiquement juif, menacé. Plus tard les événements justifieront ce regard. »

Le réseau de résistance auquel Clara participe est bientôt démantelé, et l'existence du couple enfant-mère devient dangereuse. Trouver de vrais faux papiers est essentiel au moment où les sinistres convois préparent le plus grand génocide de tous les temps. « Alors, nous dit Clara, a commencé la seule longue nuit que j'aie connue, celle où je me suis battue contre l'ange. Dans le petit hôtel où nous sommes réfugiées, l'enfant dans le lit était enveloppé par mon corps comme avant sa naissance. Son souffle ne lui parvenait qu'à travers le mien; nous étions d'inséparables sœurs siamoises. Pourtant il y avait entre nous l'atroce inégalité liée à une vie commençante. Flo n'avait pas le droit de disparaître sans avoir connu le bonheur. Elle n'était responsable de rien. Moi j'étais prête à tout assumer, mon judaïsme, mes gestes de résistance, mon besoin puéril peut-être de m'affirmer en face d'un homme... le mal que j'avais fait à ma mère. »

A Aire-sur-l'Adour enfin les vrais papiers vont venir grâce à l'aide d'un maire courageux et complaisant. Mère et fille seront « blanchies » et Florence, qui avait dit à sa mère éplorée : « si tu ne pouvais le supporter, il ne fallait pas le commencer », la remerciera d'un « j'ai été quatre ans juive avec toi ». Pourtant, la véritable « absolution », si l'on peut employer ce mot en pareille circonstance, vint plus tard, et plus profondément, lorsque la fille répondit à sa mère qui lui demandait pourquoi elle vivait : « Par curiosité. » Et Clara pour la première fois se sentit pardonnée de l'avoir mise volontairement sur cette terre.

Le droit d'être un enfant

Le droit d'être un enfant ! C'est bien ainsi qu'il fallait intituler ce chapitre. Si le premier combat de Clara fut de gagner son enfance et le second de protéger par tous les moyens celle de sa fille — encore élue unique comme sa mère et la belle Louise, son attention se portera désormais vers tous ces enfants de la terre auxquels elle voudra donner un vrai droit de cité dans le monde.

Pendant nos entretiens, j'ai dit plus haut qu'une petite voisine venait régulièrement demander une friandise à celle qui abandonnait aussitôt la parole pour donner à l'enfant le témoignage de l'affection qu'elle voulait porter à tous les autres. Et la petite fille s'en allait tout heureuse, comme si elle avait senti qu'en parlant des enfants des autres on avait bien dû aussi parler d'elle.

Mère une fois, Clara voulait aussi le devenir de tous ceux qui, mieux que les adultes, devaient porter en eux l'avenir de ce monde. Ainsi retrouvait-elle son double — cette petite sœur noire qu'elle avait inventée, nous le verrons, à l'autre extrémité de la terre. La voilà à Dieulefit en 1944, au moment où la guerre se termine. « On se battait encore à Dieulefit et on allait en forêt avec une vingtaine d'enfants et d'adolescents. La nuit nous nous reposions sur un tapis d'aiguilles de conifères, mettant nos mômes à l'abri du destin. Avec des fougères nous leur préparions des couches... Tout le monde casé, je m'étends, ma fille, pour changer, dans le creux de mon bras. Une petite fille s'approche de nous. Elle doit avoir l'âge de Flo. Silencieuse, elle se love de mon côté. A présent je tiens ma fille contre mon flanc droit et dans une double maternité la petite étrangère contre mon flanc gauche. “ Madame, dit-elle à mi-voix, madame, est-ce que je peux vous appeler maman cette nuit ? ” »

Voilà le rêve de Clara accompli : avoir une fille à elle et devenir mère adoptive des autres enfants du monde.

C'est derrière cette expérience que nous imprimerons désormais sa parole, appuyée par les expériences de sa propre vie : sa parole selon laquelle il semblerait que toutes les mutations de l'humanité passent aujourd'hui par les espérances d'un monde féminin renouvelé, et par une enfance mieux adaptée à la présence de l'avenir ; c'est du reste sa propre enfance imaginative et lyrique, libre et pourtant rythmée, responsable et toutefois révoltée qui poussa mon interlocutrice à demeurer, dans une époque sombre, le messager de l'espoir.

— Depuis cinquante ans, me dit Clara, nous avons fait en Europe deux révolutions qui ont eu je le crois des effets bénéfiques : la révolution des femmes dont on parle beaucoup parce qu'elle est spécifiquement occidentale, et celle des enfants dont on parle beaucoup moins car jusqu'à ces dernières années il valait mieux être un enfant hors d'Europe...

— Etonnante, cette idée fort peu répandue qu'il valait mieux être un enfant ailleurs que chez nous.

— Vous êtes surpris, j'en conviens, mais je me souviens : lorsque je vivais en pays annamite où j'ai résidé un an et demi, les enfants y jouaient librement, presque sans surveillance. Les tout petits portaient au bon endroit des pantalons fendus afin de réduire au minimum leur dépendance envers les adultes en leur permettant ainsi de satisfaire tout seuls leurs besoins naturels. En outre, dès leur naissance ils avaient le droit de s'alimenter comme ils le désiraient... On ne leur imposait pas comme chez nous jadis tout le temps quelque chose. Les mères indochinoises les portaient sur le dos et dès qu'ils criaient, elles leur donnaient le sein. C'est à peu près ce que nous faisons de nos jours où l'enfant de chez nous règle de lui-même le rythme de ses repas. Il suffit de penser qu'hier, dans nos pays on enveloppait un enfant dans un maillot où il se présentait comme un petit pain ! Aujourd'hui un enfant est laissé libre autant que faire se peut dès sa première respiration et on s'efforce de rendre aussi facile que possible le dur passage du dedans au dehors.

« En fait, l'Europe a adopté ces dernières années pas mal d'usages non européens. Une bonne partie de ce qu'on appelle maintenant la naissance douce qui veut qu'on ne sépare pas trop brusquement l'enfant de la mère, qu'on attende un certain temps avant de couper le cordon ombilical, nous vient de pratiques extra-européennes. Il y a deux ans à peine une amie juive indienne — car il y avait une communauté juive à Bombay — est venue accoucher à Paris et je lui ai rendu visite à la clinique. Je l'ai trouvée le ventre nu et son enfant, une petite fille, plantée dessus ! Cette coutume selon laquelle il ne faut pas rompre entièrement le contact entre deux corps qui ont été si intimement mêlés m'était apparue, sur le moment, d'un grand intérêt, mais pas forcément évident... Plus tard, j'ai appris que cette méthode était devenue courante dans les hôpitaux français. Et je faisais de moi-même la comparaison. Aussitôt après la naissance de ma petite fille on l'a séparée de moi, on est même allé jusqu'à lui faire passer la nuit — sa première nuit sur la terre — loin de moi, dans une salle commune avec d'autres enfants chacun dans son berceau... Et tout cela simplement pour que la petite Florence ne m'empêche pas de dormir. Qui sait si elle n'a pas payé sa vie durant cette rupture d'une belle somme d'angoisse...

— En somme, selon vous, au début de ce siècle, si

les femmes étaient de simples spectatrices — des êtres en demi-teinte — les enfants, eux, n'existaient pas.

— Certes on a beaucoup réfléchi sur les enfants au cours de ces dernières années et nous avons trouvé une approche humaine de l'enfance qui était inexistante autrefois.

— La grande maxime c'était, selon le célèbre poème, « Tu seras un homme mon fils »... L'enfant n'avait que le droit de devenir adulte comme ces petits princes d'Espagne que Velasquez peignait, superbement du reste, comme des petits rois cuirassés et casqués, ou les infantes comme des reines miniatures.

— En fait l'enfant d'autrefois n'avait pas de droits, il n'avait que des devoirs et des interdits. Dans ma jeunesse on nous disait sans cesse : « Ne parle pas en mangeant, ne mets pas les coudes sur la table », alors que les autres le faisaient. Il fallait dire bonjour, il ne fallait pas mettre les doigts dans son nez... Avec toutes ces obligations, ces tabous, ces interdits, on avait beaucoup plus de difficultés à réussir l'examen de passage entre l'enfance et la vie d'adulte. Quant aux petites filles, pour la plupart, elles vivaient complètement séparées. En fait, on ne leur apprenait pas qu'elles étaient différentes, mais qu'elles étaient des créatures inférieures, auxquelles il manquait quelque chose d'essentiel. Du reste, poursuivit Clara en souriant, je me demande bien dans les circonstances actuelles, où les garçons et les filles vivent ensemble et ne sont plus un mystère l'un pour l'autre, si Freud pourrait encore fonder toute sa théorie psychanalytique — antiféministe — sur l'envie du pénis. Freud s'est trouvé en fait dans un monde où l'enfant était sans cesse obligé de deviner ou d'interpréter. Il vivait au sein de ce milieu juif qui était en somme plus prude que les autres... Je le répète, autrefois, dans mon enfance, on était toujours en train de vous dissimuler quelque chose.

Néanmoins Clara dans *Apprendre à vivre,* le premier tome de ses Mémoires, avoue que plus ou moins élue par sa propre famille elle a eu de meilleures chances que la plupart des petites filles de son temps si souvent humiliées. Plus rêveuse, ivre de solitude, elle a su planter en elle de nombreuses images qu'elle récoltera sans cesse sur sa route et qui resurgiront comme un havre de paix dans les tourmentes de la guerre : n'écrit-elle pas vers la fin des hostilités, dans un trou d'obus, ces jolis contes de Perse qu'elle me lut avec émotion à l'issue de nos entretiens, quelques jours avant sa disparition ?

Plus rêveuse elle sera aussi plus libre que les autres — reconnue bientôt par sa famille comme ayant un avenir personnel ; elle a su par son éducation même — libérale — s'ouvrir un peu mieux sur les êtres, les paysages, les événements, et mieux combattre ces tabous qui gelaient le monde des femmes et rendaient dérisoire le monde des enfants.

— Votre enfance, lui dis-je, vous a beaucoup habitée et remplit un volume de vos Mémoires, le premier, celui que je trouve le plus émouvant. Du reste, le livre d'enfance que beaucoup d'écrivains ont laissé sur le tard, je pense aux *Mots* de Sartre, aux *Mémoires intérieurs* de Mauriac, aux *Mémoires d'outre-tombe,* est souvent le plus décisif. Seul André Malraux s'est gardé de le faire et c'est dommage. Pour moi, il s'agit d'un grand trou sans fond dans son œuvre à laquelle il manque un support enfantin pour comprendre la cohérence de son destin.

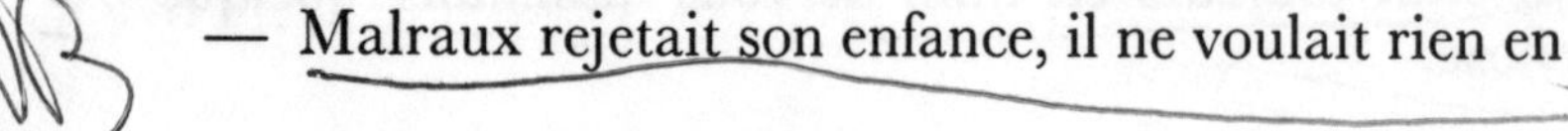

— Malraux rejetait son enfance, il ne voulait rien en

savoir. André avec lequel j'ai vécu si longtemps refusait qu'on en parle. Il n'y faisait jamais la moindre allusion.

— Peut-être devait-il enfermer des images terribles, des petits tas de secrets inavouables ?

— Je crois que le fond était l'image d'une mère qui ne supportait pas son destin de femme abandonnée.

— Si l'enfance de votre compagnon lui apparaît comme une sorte de péché qu'il exorcisera toute sa vie, la vôtre au contraire vous tombe sur la tête comme une sorte de grâce. Certes vous avez eu Fraulein, la mort de votre père, et de nombreux chagrins qui ont parsemé votre vie enfantine, mais en somme le souvenir global est plutôt positif. Enserrée dans un certain carcan, vous avez eu la liberté de fabuler.

— J'avais un imaginaire du tout-est-possible, qui me préparait à ne m'étonner de rien et attendre tout.

— C'est une jolie définition d'une certaine enfance, d'attendre tout et de ne s'étonner de rien.

— Quand sont venues les découvertes, par exemple le premier avion que, je crois, Blériot pilotait, je me suis dit : voilà, ça y est, on peut enfin voler. Ce fut la même chose pour la conquête de la lune où j'ai pensé aussitôt : il fallait bien y arriver un jour ou l'autre. Lorsque je me suis mise à voyager parmi les communautés qui avaient les mœurs les plus variées, cela ne m'étonnait pas non plus. J'admettais toutes les différences. L'enfant d'aujourd'hui accepte les différences et l'étranger pour lui n'est pas étrange.

— Pourtant, objectai-je, la vraie réserve de rêves, c'était bien les étés de Magdebourg. Paris représentait plutôt la contrainte de l'école de Fraulein ou de l'école, ou tout au moins les obligations.

— Je pense que ma vie a été très riche, et que si certains sont obsédés par leur enfance c'est justement parce qu'elle a été la période la plus riche de leur vie, celle où ils ont vraiment acquis quelque chose, celle où ils ne sont pas sûrs que demain va ressembler à aujourd'hui... C'est la raison pour laquelle l'enfance est pour beaucoup la période romanesque par excellence.

— Le problème est de savoir si plus tard on est capable ou incapable de transcrire cet imaginaire.

— Ou à tenter de le vivre. Or les trois quarts des êtres sont obligés d'y renoncer, d'abandonner cette période où il se passait vraiment quelque chose.

— La plupart des êtres, voulez-vous dire, escamotent leur enfance ? Les deux ou trois images enfantines qui, au moment de disparaître, nous apparaîtraient atroces, sublimes ou merveilleuses... ne seraient-elles pas en quelque sorte, sans que nous puissions vraiment nous en rendre compte, les leitmotiv de la vie...

— Pour moi ce serait mon père et ma mère qui lisaient le soir ensemble et se communiquaient les réflexions de leur lecture. C'est sans doute cette belle image de communication qui me reste.

— Vous gardez donc une image heureuse. En avez-vous par exemple de terribles, ou comme certains, d'insoutenables ? Par exemple la mort de votre père.

— Non, car la mort de mon père, certes pénible pour une enfant de treize ans, a été douce. Lorsque mon frère et moi nous enterrions des oiseaux qui tombaient du nid dans le jardin, ce n'était pas triste non plus : il s'agissait d'une simple cérémonie. Oui, j'ai eu une enfance plutôt paisible. Avant la mort de mon père je ne vois absolument rien de triste.

— Vous avez été choyée, aimée.

— Etonnamment pour cette époque ; mes parents mettaient de l'espoir en moi et pensaient que je pourrais me réaliser sous une forme ou sous une autre. Ma mère souhaitait que je sois médecin. Enfin, on désirait que je sois quelqu'un d'autre qu'une femme au foyer...

— Vous me dites sans cesse qu'il vaut mieux vivre aujourd'hui qu'hier. Pourtant, si je vous comprends, vous avez vécu très heureuse hier ?

— Certes, mais j'ai toujours plus ou moins vécu à l'état de révolte. Je savais en outre que j'étais une exception.

— Bénie des dieux.

— Je n'avais pas conscience d'être bénie des dieux, je me considérais même comme très malheureuse, mais je savais fort bien qu'il n'y avait pas de difficultés essentielles. Il y avait une certaine continuité de la maison, de l'entourage... J'imagine que nous avions une vie plus régulière que fantaisiste. Comment aurais-je pu construire mes petits châteaux à côté si je n'avais su qu'à sept heures exactement on me réveillerait. Ma vie était aussi réglée que celle d'un moine.

— C'est en quelque sorte la vie réglée qui entraînait la possibilité de l'imaginaire.

— J'avais la liberté de fabuler... En rentrant de l'école, je pouvais tranquillement me raconter que lorsque j'allais rentrer à la maison je me trouverais en face des sept petits nains de Blanche Neige.

— Vous avez eu de la chance...

— Sûrement, mais ensuite sont venues les difficultés et les responsabilités. Ainsi me suis-je trouvée toute ma vie entre un monde irréel où mon imaginaire fonctionnait d'une façon délirante et un monde de responsabilité que j'inventais peut-être lui aussi.

— Et ces deux mondes se sont réconciliés ?

— Un certain monde imaginaire a fini par céder la place. Il est revenu surtout lorsque j'ai eu moi-même un enfant. Lorsque Florence a été assez grande pour écouter les contes de fées. Tout à coup j'ai retrouvé le moyen de raconter de nouveau des histoires sans queue ni tête. Elles devaient tout de même demeurer quelque part mais elles étaient chassées par les réalités de la vie.

— On raconte que vous avez été une mère assez exclusive, voire même exaltée.

— J'ai été une mère juive, une « judische mama ». Mon enfant je l'ai voulue. Je me suis toujours sentie responsable envers elle. Comme elle est née quarante-huit heures avant la prise de pouvoir de Hitler, je n'ai pas cessé de lui demander pardon de l'avoir mise volontairement sur cette terre où je pressentais qu'il allait se passer des choses atroces. Nous sommes responsables aujourd'hui envers ceux que nous mettons au monde, puisque nous pouvons contrôler leur venue. Dans ce sens je suis particulièrement fière d'avoir écrit les premiers articles demandant l'autorisation de la vente des produits anticonceptionnels au moment où le fait même d'en parler était interdit, alors qu'en Allemagne, même avant la guerre de 14, ces produits étaient libres. Je crois vraiment que la réglementation des naissances permet non seulement aux femmes d'être plus heureuses mais aussi de mettre au monde des enfants qui seront plus heureux...

— Ainsi les femmes sont-elles devenues les maîtres de la création ; elles ont pris tout simplement, sans même s'en rendre compte, la place de Dieu...

— Autrefois il fallait souvent avoir trois enfants pour n'en garder qu'un seul. Aujourd'hui, si d'une part nous ne sommes plus des moules à faire des enfants, nous ne sommes plus a fortiori obligées comme autrefois de nous attacher à des créatures destinées à disparaître malgré nos efforts. Je crois que ce phénomène est capital mais à l'inverse la situation dans le reste du monde s'est encore aggravée. Si la médecine s'y est améliorée, qui permet à de nombreux enfants de survivre, les populations — voire les gouvernements — refusent d'appliquer le contrôle des naissances. Ainsi se creuse dangereusement le décalage qui existe entre les pays développés et le reste du monde.

« Lorsque j'ai accouché je n'ai pas eu le temps de faire ouf. Je suis arrivée à la clinique et cinq minutes après mon enfant était là. Pauvre femme d'autrefois, lorsqu'elle avait huit ou neuf enfants ! Mon arrière-grand-mère en avait onze et ne le souhaitait pas tellement. Sa fille me disait — on mettait au monde encore à la maison à cette époque — que les accouchements de sa mère étaient épouvantables et qu'elle l'entendait hurler... Pourquoi allait-on irrémédiablement dans ce sens ? Car mon arrière-grand-mère n'avait certainement pas choisi de mettre onze enfants sur cette terre. Elle ne pouvait l'éviter... Il fallait aussi se conformer à la volonté de Dieu, qui avait dit que sitôt qu'on voyait un enfant, il fallait l'accueillir... Je comprends aujourd'hui que l'Eglise catholique se rebiffe, car limitant les naissances au nombre d'enfants désirés, on interfère dans le domaine religieux de la création...

— La femme se substitue à Dieu et pourrait — elle le fait souvent — faire la grève des enfants. C'est un pouvoir à la fois magnifique et dangereux qu'elle possède aujourd'hui, d'accélérer ou de refuser le renouvellement. Ce serait même à la limite une responsabilité écrasante. Elle serait certes d'autant plus grave que certains spécialistes aujourd'hui considèrent que l'amour maternel n'existe guère...

— Cela me paraît difficile à imaginer, puisque cet instinct existe chez les animaux. Des expériences effectuées sur des chattes prouvent qu'elles sécrètent une hormone particulière au moment d'être mères. Quelque chose de nouveau semble les préparer à ce rôle. Pourquoi après tout serions-nous différentes ? Non. Je n'imagine pas que l'on puisse porter en soi une créature dont on sait qu'elle va être humaine sans éprouver un certain attachement... Du reste nous savons aujourd'hui que tout enveloppé qu'il est dans le placenta, l'enfant entend déjà la voix de sa mère, ce qui crée entre les deux êtres une complicité de plus. Une fois né, cette voix déjà connue le rassurera dans ce monde terrifiant où il a été projeté. Certes, il semblerait que le fœtus perçoive mieux les sons graves que les sons aigus, d'où l'importance de la présence masculine qui plus encore que celle de la femelle serait sécurisante. Pourtant, dans une chambre on perçoit mieux les bruits qui viennent de l'intérieur que ceux de l'extérieur. En outre, pendant toute la durée de la gestation l'enfant est sans cesse présent dans le corps de la mère, alors que le père n'est présent que de façon irrégulière. J'en conclus sans faire preuve d'un féminisme outrecuidant que le nouveau-né doit être plus familiarisé avec la voix féminine que masculine.

— Je l'affirme et le répète sans cesse, précise encore Clara, la deuxième grande révolution du XXe siècle, c'est la révolution de l'enfant qui a été reconnu pour la première fois comme ayant un droit à l'existence. L'enfant du reste m'a toujours passionnée. Il est aujourd'hui une créature humaine autonome et pourtant inachevée. Dans ce sens, l'approche psychanalytique et pédagogique demeure capitale. Hier les enfants étaient élevés en fonction de ce qu'on pouvait attendre d'eux dans l'avenir, et pas du tout en fonction de ce qu'ils étaient dans le présent. L'enfant d'aujourd'hui a une sorte de mission : celle de s'accomplir alors qu'autrefois il n'avait que le droit de se taire. De mon temps nous vivions dans les interdits.

— Aujourd'hui, on est peut-être tombé dans l'excès contraire. Ils parlent sans arrêt et ce sont les parents qui doivent se taire !

— Je crois néanmoins que l'éducation présente est meilleure car elle permet un peu mieux au petit être de devenir l'homme qu'il doit devenir. Je pense que l'approche de l'enfant aujourd'hui — mais il ne s'agit que d'une approche — est beaucoup moins perturbante que celle d'hier du moins dans un milieu social équivalent. S'il est plus responsable, il aura ensuite moins de luttes avec lui-même. En tout cas cette opinion fait partie de mon optimisme généralisé. Ceci dit, je n'affirme pas que tout va de mieux en mieux, mais je suis persuadée que les zones où les choses vont mieux sont plus étendues qu'autrefois, notamment dans le domaine des femmes et dans le monde des enfants. Car aujourd'hui on a non seulement le droit d'être un enfant, mais aussi le devoir de l'être : l'enfant qui se réalise de nos jours a beaucoup plus de chances de devenir un homme que celui qui traînait de perpétuelles insatisfactions : l'enfant devient alors celui dont on admet les images, les obsessions, les fantasmes, les drames, et qui les projette naturellement dans sa vie d'adulte parce qu'il les aura ainsi situés dans son enfance, là où ils doivent se placer. Jadis, et c'est peut-être le sens du freudisme, les pions étaient placés de telle sorte que l'enfant avait beaucoup de chances de rater le passage.

— Et réussir le passage, vous l'avez dit, c'est ne s'étonner de rien.

— C'est accepter les différences et faire en sorte que l'étranger ne soit pas étrange ? Je pense que les enfants d'aujourd'hui savent dès le départ que le monde est divers. En ce qui concerne l'éducation des enfants, je crois aussi avoir été une des premières à parler de Kortschak en France où on connaissait déjà les grands novateurs comme Pestalozzi, Freinet ou Piaget. Kortschak est sans doute un des plus grands pédagogues d'avant guerre et certaines de ses affirmations font encore bondir aujourd'hui : j'imagine la tête de ma Fraulein entendant des phrases comme celle-ci : « Le premier droit de l'enfant est de contester » ou « l'enfant a le droit de vouloir, de réclamer, d'exiger... » Kortschak emploie aussi le mot de respect, mais de respect des parents par rapport aux enfants : le respect devant une créature en train de se former et à qui il ne faut pas imposer des normes purement arbitraires dont la seule raison d'être le plus souvent était d'être commode pour les adultes.

« Je connais du reste une femme qui un jour s'est trouvée dans un cas où justement il fallait choisir entre imposer sa volonté ou accepter de subir celle d'un enfant de trois ou quatre ans. L'enfant en question avait flanqué avec rage un de ses jouets à l'autre bout de la pièce ; sans raison ou du moins sans motif apparent pour les adultes. La mère s'est alors posé la question : « Faut-il imposer ma volonté et risquer de faire de mon enfant une créature soumise ou révoltée, ou bien accepter son "caprice" et aller ramasser moi-même l'objet rejeté, quitte à faire de mon enfant un tyran qui croira pouvoir imposer sa volonté aux autres ? » Là-dessus la mère a pris une décision qui me paraît judicieuse : elle a dit à l'enfant : « donne-moi la main, nous allons ramasser ton jouet ensemble ». L'enfant a accepté et n'a plus jamais eu besoin d'affirmer gratuitement sa puissance.

— Cela ne doit pas être facile de trouver en toutes occasions et immédiatement la réponse adéquate ?

— Etre un éducateur, surtout au sein même de la famille, ne s'improvise pas. Il me semble qu'il faudrait, dans la mesure du possible, permettre aux futurs parents d'avoir quelques notions de pédagogie car il y a bien des choses que l'instinct paternel ou maternel ne vous apprend pas. En ce qui me concerne, j'ai eu beaucoup de chance ! Je connaissais déjà au moment de ma grossesse une bonne partie de la théorie freudienne, laquelle en fait ne contient guère d'indications pédagogiques. Du reste Freud n'a-t-il pas dit « de quelque façon qu'on s'y prenne, on s'y prend mal », et de son point de vue c'est exact. Mais à ce moment-là fort heureusement j'ai connu des adlériens, et les théories d'Adler comportent une façon de voir qui peut aboutir à une façon de se comporter. J'ai beaucoup consulté mes amis adlériens en ce qui concerne mes premiers rapports avec mon enfant et je crois que leurs conseils dont je tenais compte étaient excellents.

— Vous pensez aujourd'hui que l'attitude des parents dans leur ensemble s'est largement modifiée ?

— Tout d'abord, on assiste dès le premier âge à l'intervention directe des pères. En les voyant désormais pousser des voitures d'enfant, j'ai remarqué qu'ils éclataient d'orgueil et qu'ils en retiraient une intense satisfaction. Aujourd'hui ils semblent s'y être habitués, mais j'ai toujours une sorte de plaisir à voir un homme porter un enfant, supprimant ainsi cette espèce de hiérarchie absurde qui faisait que certains actes jugés comme de seconde zone avaient un caractère nettement féminin. L'intervention du père est un premier élément, le second, encore plus déterminant, consiste en ce que la différence des sexes n'implique plus l'idée d'infériorité pour les filles.

— C'est sur ce point que l'attitude des parents, selon vous, a le plus changé ?

— Considérablement. Autrefois, les parents s'efforçaient d'occulter les réalités physiologiques. J'avais une amie, avant la guerre, qui s'intéressait déjà aux recherches psychologiques de l'époque. Elle me dit un jour qu'elle-même et son mari se promenaient tout naturellement nus devant leurs enfants. A l'époque, je dois dire que j'ai été un peu choquée ; cela me paraissait une provocation dont je ne voyais guère les avantages. Depuis j'ai bien changé d'avis. La petite fille qui devait se concevoir comme une créature déficiente, quelqu'un à qui il manque « quelque chose », ne peut plus penser comme auparavant lorsqu'elle a vu les seins de sa mère et le pénis de son père. Elle sait désormais qu'il existe entre les hommes et les femmes une différence et non pas une infériorité. Elle sait qu'elle aura des seins plus tard et que son frère, si elle en a un, possédera plus tard un pénis plus important que celui qu'il a déjà... Quant à moi j'ai eu la chance d'avoir deux frères et le corps nu de mon cadet je l'ai toujours connu, car on nous baignait ensemble. Ma famille dès mes douze ans m'informa des problèmes de reproduction. Les Noirs en Afrique, eux, vivent nus, et un médecin noir récemment m'a dit que la théorie freudienne ne pouvait être valable dans son pays où dès l'enfance apparaît la simple et naturelle nudité.

— Vous pensez donc que les théories de Freud sont celles d'une certaine époque, où le monde de l'enfance, environné d'interdits, était pratiquement bloqué ?

— C'était un monde où l'enfant était tout le temps en train de deviner quelque chose qu'on lui cachait, surtout dans ce milieu juif viennois de mon époque, qui était particulièrement prude, ce qui vous le savez n'était pas le cas de ma famille. Aujourd'hui, fort heureusement, tout a changé et l'information, l'éducation sexuelle sont largement diffusées. J'ai vu il y a quelques jours un livre illustré destiné à expliquer aux enfants le mécanisme de la reproduction. Les images étaient jolies et précises, montrant les organes de reproduction masculins et féminins, leur conjonction, la rencontre du spermatozoïde et de l'ovule. Curieusement pourtant et involontairement, j'en suis sûre, le livre était à sens unique, en ce sens que l'homme « déposait » sa graine dans une cupule féminine qui ensuite abritait son développement. Je sais bien qu'il est difficile d'expliquer la conjonction de deux éléments différents mais d'égale importance. On doit pouvoir y parvenir. De toute façon, le plus clair du mystère entre les sexes a disparu, ce qui semble un élément positif. L'homme et la femme sont des créatures humaines, c'est pourquoi ils doivent se connaître dès l'enfance, tels qu'ils sont. Et aujourd'hui où la famille est le plus souvent réduite à sa plus simple expression avec un père, une mère et un seul enfant qui ignore tout de l'autre sexe, l'école mixte est devenue d'autant plus indispensable. Sinon la famille de base est une bien mauvaise préparation à sa vie d'adulte, cette vie qu'il va passer avec une créature sur laquelle son imagination a pu jouer complètement à faux.

— Vous croyez que cette présence de l'autre, cette information préalable enlèvera désormais à l'enfant toute peur face à l'objet sexuel ?

— Sans aucun doute. J'ai connu peu avant la guerre une Viennoise imprégnée des théories adlériennes et, à la suite de cette rencontre, j'avais appris à ma fille — elle devait avoir sept ou huit ans — que l'enfant commençait sa vie consciente dans le corps de sa mère. A cet âge — comme au mien trente ans plus tôt — où j'avais été informée de la même façon, on ne s'étonne pas de grand-chose. Florence a donc très bien accepté ce processus. Elle n'en a plus reparlé, ce qui lorsqu'elle eut dépassé dix ans a commencé à m'inquiéter. Vous savez qu'Adler — toujours lui — affirme qu'un enfant normalement constitué sur ce plan doit poser ces questions concernant la reproduction avant ses onze ans. Et voilà qu'un beau jour la gosse m'a dit le plus simplement du monde : « Tu m'as appris comment les enfants sortent, tu ne m'as pas appris comment ils entrent. » Cela avait le mérite de la précision. Je tentai de lui donner toutes les explications voulues. Pas assez sans doute puisque après une seconde de réflexion l'enfant me demanda : « C'est agréable ou désagréable ? » question à laquelle je ne m'attendais pas. « Plutôt agréable », répondis-je. Là-dessus l'enfant insista : « Plus ou moins qu'embrasser ? » De plus en plus gênée je lui dis néanmoins : « plus ». Et la petite fille, ravie, de conclure : « Tu vois bien que Dieu existe, sinon tout ça ne serait pas aussi bien fait. » En somme, elle était éblouie par la logique de l'ensemble. Je crois que c'est la seule créature humaine que l'idée de la reproduction liée au plaisir ait amenée à croire en Dieu.

— Toutes ces nouvelles approches, ces nouvelles méthodes, selon vous, vont nous amener à avoir des jeunes générations plus adaptées, plus équilibrées.

— L'enfant sera moins humilié en tant qu'enfant. Il n'imaginera pas qu'on est sans cesse en train de lui dissimuler quelque chose. Dans le cas d'une fille, elle ne sera plus humiliée en tant que telle en laissant dès l'enfance aux enfants mâles un sentiment de supériorité.

« Nous avons beaucoup parlé de l'enfance. Il ne faudrait pas oublier les adolescents pour lesquels les changements ont été au moins aussi décisifs au cours de ces dernières années. J'ai assisté récemment dans un bourg de Navarre à un événement qui m'a fait comprendre tout le chemin parcouru. Un car s'est arrêté sur la grand-place. Des enfants en sont descendus, qui devaient avoir autour de douze ans. Je me suis enquis : « C'est bizarre ces enfants qui arrivent tout seuls et dont aucun adulte ne s'occupe. » On m'a aussitôt répondu : « Ce sont des petits Allemands. Ils ont l'habitude. Ce n'est pas la peine d'aller les chercher car chacun sait d'avance où il va habiter. Ils viennent ici pour la énième fois. » En effet, chacun de ces enfants connaissait la famille qui allait l'accueillir. « D'ailleurs, ajouta l'un des adultes, c'est la même chose lorsque nos enfants se rendent en Allemagne. » Ce simple petit fait m'a transportée de joie. J'ai pensé à ma mère. « Comme elle serait heureuse, me suis-je dit. C'est cela qu'elle désirait. Elle rêvait que le Rhin rapproche au lieu de séparer. J'avais l'impression en voyant ces enfants que l'Europe était déjà faite en permettant à ces petits de connaître d'autres mœurs, d'autres langues. Au moment du Front Populaire, les congés payés me parurent une véritable révolution : ils ont créé un autre rapport de l'homme avec la vie, avec la terre. Tout le monde sait aujourd'hui qu'un ailleurs existe et que penser un jour pouvoir s'y rendre n'est pas un rêve irréalisable.

« Bien d'autres choses, pour moi, ont encore changé : rapports entre enseignants et élèves, entre filles et garçons, multiplication des couples irréguliers. Les rapports entre maîtres et élèves se sont largement inversés, surtout depuis 68 qui a été en fait un mouvement de jeunes. Beaucoup de professeurs d'aujourd'hui étaient alors ces étudiants qui ont joyeusement manifesté. Car Mai était joyeux. Aujourd'hui les élèves ont l'âge qu'ils avaient à l'époque et ils trouvent tout naturel d'avoir avec eux des rapports détendus. Souvent ils se tutoient. Pensez donc, de mon temps, lorsque la maîtresse entrait dans la classe nous devions aussitôt nous lever, raides, au port d'armes. Aujourd'hui tous les rapports entre garçons et filles ne sont plus du tout ce qu'ils étaient il y a une trentaine d'années : les liaisons amoureuses sont chose courante, et les mères acceptent bon gré mal gré d'offrir l'hospitalité dans leurs propres maisons aux jeunes couples irréguliers. »

Toc-toc : notre petite visiteuse de l'appartement voisin avait de nouveau frappé à la porte, demandant une autre friandise, et coupant ce jour-là nos entretiens au moment même où ils commençaient à se débrider. Si nous avions poursuivi, j'allais objecter... bien que mon devoir en la circonstance eût été de m'effacer. J'avais envie de lui dire que tout n'était pas si simple, que les avances réalisées exigeaient des reculs, que les évolutions devaient toujours prendre en compte les permanences, que l'acquis devait sans cesse se nourrir de l'inné. Pourtant j'aimais ces paroles d'un soir de vie sous-tendu d'espérance, et je n'étais pas loin de penser qu'aujourd'hui dans son ensemble valait mieux qu'hier et qu'il nous reste encore assez d'espoir pour penser que demain vaudra mieux qu'aujourd'hui. Si Clara fut tirée par ces espérances collectives qui ne furent pas exemptes, nous le verrons, de désillusions successives, elle fut aussi remplie de cette religion de l'irréel qui demeure sans doute le meilleur aliment d'un avenir incertain. Rêves, souvent plongés dans la douloureuse réalité ou brisés dans les affrontements quotidiens, ils seront toujours là, du début jusqu'à la fin, la trame invisible de ses longs Mémoires qui ne se terminent pas par hasard quinze ans avant sa mort, par l'évocation des journées de 68 auxquelles elle participa et qui selon elle marquèrent la fin de sa jeunesse. Elle avait soixante-dix ans !

Mais c'est à quatre-vingt-quatre ans que d'une voix un peu tremblante, elle me lut ses *Contes de Perse*. « J'ai toujours adoré les enfants, m'a-t-elle dit, et j'ai passé ma vie à leur raconter des histoires. » Ainsi les écoutai-je, je les écoute encore — comme si j'étais moi-même redevenu un enfant. Ces contes, elle les a conçus en Perse à trente-quatre ans, là-bas au centre d'un monde limpide et sans doute au véritable sommet de son bonheur. Elle les a écrits, nous dit-elle, dans un trou d'obus au moment même où les tenailles de l'histoire commençaient à se desserrer. Elle les a publiés octogénaire ou presque — comme pour témoigner que le rêve de Magdebourg, l'émerveillement de la Perse, et les espoirs insensés l'avaient bien traversée de part en part.

Ces quatre contes en trois — genre dans lequel elle excellait, « elle aurait dû s'y consacrer » plus avant — ne sont-ils pas le véritable reflet de son âme tiraillée entre la triste solitude et ce goût, cette passion, de rencontrer les êtres et les choses dans leur richesse et leur diversité : c'est ici, vraiment, que celle qu'on appelait enfant « la petite cruche à larmes » tant elle pleurait, se révèle aussi comme la femme, la mère, l'amie aux yeux grands ouverts, celle à laquelle rien dans le monde ne saurait être étranger.

Suivons rapidement « Mirza Han et Fatimeh », « l'histoire des trois platanes » et celle des « lampes fleuries », ces trois féeries qui nous font regretter celles que Clara raconte peut-être encore sans se lasser aux enfants de l'autre monde.

Mirza Han possédait la plus jolie maison d'Ispahan. Il avait épousé une femme superbe et se lamentait depuis que celle-ci était tombée en langueur. Las de médecins inutiles, il finit par aller consulter la sorcière qui lui conseilla pour la guérir de la frictionner, depuis la tête jusqu'aux pieds, d'eau de pluie de lune. Il suffisait pour l'aller quérir d'embarquer vers l'astre des nuits dans le bec d'un pélican migrateur, ce que Mirza Han accomplit aussitôt. Comme le voyage traînait en longueur il se raconta pour passer le temps l'histoire de la princesse qui devait mourir d'ennui :

Un roi méchant interdisait que quiconque marchât sur la pelouse de son château. La princesse Fatimeh, ayant enfreint cette interdiction, fut aussitôt condamnée à mourir de langueur dans une immense tour, si haute que son sommet était pris dans les nuages. Comme elle ne cessait de pleurer, elle remarqua que ses larmes étaient semblables à de petites balles ; et l'une d'elles toucha le sol et rebondit jusqu'à Fatimeh en lui montrant comme dans une glace ce qui se passait dans le bas monde. Ce que la jeune fille voyait désormais dans la larme-miroir était si merveilleux qu'elle ne pouvait plus ni s'ennuyer ni vieillir, si bien que cent ans après le petit-fils du méchant roi monta dans la tour et épousa la ravissante Fatimeh.

Au moment même où Mirza Han terminait son

histoire, le pélican venait de se poser sur la lune, dont le paysage ressemblait étrangement à celui de la Perse. Il y attendit que vînt la pluie et dès lors remplit une douzaine de bouteilles d'eau de pluie de lune qu'il rapporta sur la terre, et lorsqu'il eut frictionné sa femme, le bonheur enfin revint dans sa maison.

Ces deux contes en un seul nous montrent que la petite Clara sut autant faire rebondir ses larmes-miroirs que naviguer dans le monde en se racontant des histoires dans le bec des gentils pélicans.

A ce conte de pleurs et de pluie succède celui des arbres qui, las de leur douce immobilité, décidèrent de partir en voyage. Au bout d'un pré, trois vénérables platanes « fourchus, branchus, feuillus, moustachus » faisaient une ombre ronde, veloutée qui tentait les voyageurs traversant l'oasis ; n'étaient-ils pas la dernière halte des caravanes avant le désert, le lieu de rassemblement des enfants et des amoureux qui rendaient les trois arbres amoureux de leur présence ? De surcroît, leurs branches étaient un perpétuel va-et-vient d'écureuils et d'oiseaux, pendant que la nuit, les chats-huants jouaient à cache-cache d'une branche à l'autre.

Pourtant, un beau jour l'envie vint aux trois arbres de quitter cet endroit béni pour découvrir le vaste monde. Finissant par arracher leurs racines et s'alignant l'un à côté de l'autre, ils se mirent à avancer dans la direction du village, et déjà sur la route s'aperçurent que les oiseaux, les insectes, les écureuils les avaient abandonnés. Les vaches qui les premières les virent arriver s'enfuirent épouvantées, et une femme qui les aperçut les prit pour de mauvais génies, si bien que les platanes voyageurs traversèrent une bourgade vidée de ses habitants. Alors ils se mirent à s'ennuyer et, regrettant le lieu habité de tant de vie, firent aussitôt demi-tour et regagnèrent l'oasis où ils enfoncèrent de nouveau leurs racines dans le sol, plus profondément que jamais.

Les arbres, nous dit Clara, ont leur morale : ils doivent rester sur place, enracinés. Quant aux petits garçons et aux petites filles, lorsqu'ils ont de grands yeux pour regarder au bout de tous les horizons, il faut qu'ils marchent, il faut qu'ils courent, il faut qu'ils volent, il faut qu'ils nagent : le monde est grand, beau, magnifique. Ce n'est pas dans l'endroit seul où nous sommes nés qu'il se passe quelque chose. Et de dire : « Quand tes jambes seront encore plus grandes et plus fermes, tu t'en serviras pour parcourir cette terre qui est un cadeau royal que ton papa et ta maman t'ont fait. »

Eloge des larmes-miroirs de Fatimeh, invitation au déracinement dans l'histoire des platanes qui voulaient voir le monde, l'histoire des lampes fleuries est un appel à la rencontre, au brassage des civilisations dont les rêves s'enroulent les uns sur les autres.

Souleïma, petite fille de dix ans, avec sa très gentille petite frimousse ronde, était souvent solitaire depuis que ses frères et sœurs plus âgés avaient quitté la maison familiale. Un soir où ses parents étaient partis chez sa sœur aînée qui allait accoucher, assise sur un tapis à la nuit tombante, Souleïma essayait de ne pas pleurer... en rêvant. Son regard se posa sur une miniature représentant un dragon vivant qui avalait un troupeau de vaches, pendant que s'ouvrait au sommet de son crâne une trappe d'où l'on voyait s'échapper danseurs et danseuses, les vaches englouties s'étant métamorphosées en bienheureux musiciens. Il y avait aussi dans la pièce une grande quantité de lampes fleuries venues de France et dont chacune avait un nom d'enfant. Elle les alluma et les lampes grossirent, s'étirèrent, s'allongèrent, subitement transformées en petites filles aux joues fleuries, qui se présentèrent avec leurs noms français et se mirent à jouer ensemble à la main chaude, à colin-maillard, et firent des rondes devant une Souleïma éblouie.

La porte s'ouvrit. Les petites filles avaient disparu lorsque les parents de Souleïma, tout en lui reprochant de ne pas dormir, lui annoncèrent la venue de sa petite nièce. Souleïma n'avait guère envie de se réjouir : les petites filles avaient fui, mais elle savait bien qu'à la première absence de ses parents, elles réapparaîtraient de nouveau !

Comme on aimerait dévider d'autres contes en refermant cet album dont la finesse n'est pas l'ennemie de la profondeur. C'est peut-être là que nous découvrons le mieux Clara, dans ces mirages qui courent devant elle et qu'elle cherche toujours à rattraper jusqu'au fond de ses yeux dont les pleurs lui donnent le miroir de son enfance solitaire et peuplée ; dans ceux de sa propre fille, à laquelle elle se plut à conter des histoires « sans queue ni tête » dans une époque de misère, de crainte et d'absurdité. Et cette traînée de rêve viendra finalement irradier les enfants du monde, y compris ceux qui ont su le demeurer.

Le droit d'être un enfant fut pour Clara le droit d'être elle-même. Le droit d'avoir le sien impliqua celui de lui conter ce qu'elle aimait à se raconter, et la mena naturellement à penser que tous les enfants du monde, ainsi rassemblés, formaient inlassablement la grande communauté du Rêve qui dans les profondeurs soutenait l'humanité...

2

Être une femme ou le Combat contre la bêtise et le génie

C'est avec un vrai bonheur que j'entrepris avec Clara cet entretien-voyage dans le monde des femmes, tâchant de les comprendre un peu mieux, si tant est que nous puissions le faire sans laisser notre « masculinité » au vestiaire. Ne nous semblent-elles pas, du reste, de plus en plus insaisissables au fur et à mesure que nous tentons de nous en rapprocher ? C'est qu'à vrai dire, nous venons les uns et les autres d'horizons cosmiques différents : l'univers a bien conçu les choses en faisant de la femme une ascension de la matière vers l'esprit, et de l'homme une pénible descente de l'esprit vers la matière. La femme plus intégrée dans son corps créateur est la quête permanente d'une aventure spirituelle — et charnelle —, et son état natif la porte à la fois vers le miroir des autres êtres et la réelle divinité de l'enfantement. Elle demeure cette ascension du multiple vers l'un. A l'inverse, l'homme tombé du ciel et de la mère, dans sa vie linéaire, non cadencée, est une hasardeuse descente de l'unité dans la multiplicité de ce monde. Là où celui qui descend rencontre l'autre qui monte, se découvrent non seulement l'amour, mais aussi la véritable moisson des épousailles cosmiques du ciel et de la terre. Peut-être, du reste, rien n'exprime-t-il mieux cette unité et cette multiplicité que l'incomparable dialogue entre Clara Malraux et son inoubliable compagnon de route : le second ne vécut-il pas dans une pénible incarnation pendant que la première souffrit d'une ascension qui lui donnait une certaine nostalgie de la terre. Là où toutes les petites filles qu'elle voulait lui confier rencontraient ces dieux qu'il voulait refléter en elles se trouvait entre ciel et terre le chemin de leur vie commune.

Mes rapports avec Clara débutèrent par celui qui l'avait éblouie et qui, en ce qui me concerne, m'apparut trois ou quatre fois comme ce pharaon isolé dont l'absence apparente était remplie par le regard des dieux. N'était-il pas pour moi, qui avais très tôt confondu Combourg avec le château de mon enfance, une sorte de réincarnation de Chateaubriand expatrié dans notre siècle : même imaginaire délirant, mais condensé, mêmes fulgurances, mêmes nostalgies soutenant une pensée forcément lyrique. Malraux m'était donc un Chateaubriand dont le Combourg était devenu la terre, et le *Génie du christianisme* avait enfanté mystérieusement, dans une autre dimension, *les Voix du Silence*. Un autre, Antoine de Saint-Exupéry, le premier écrivain que j'avais rencontré tout enfant, semblait les avoir réunis en projetant de son avion sur la terre des hommes ce petit Prince auquel j'aurais aimé ressembler.

Je rencontrai André Malraux à une réception pour Marie-Madeleine Fourcade qui venait de sortir un livre sur la Résistance. Il s'était retiré dans un recoin du salon : personne n'osait aborder le maître. Comme je tentai lentement de m'approcher, il me fit à sa manière un signe cabalistique qui appelait ma présence. Il se mit alors à me parler de tout et de rien avec une concision saisissante. Abasourdi par ce diable d'homme qui semblait dialoguer derrière moi avec des milliers de moi, inconnus, dispersés, j'eus la crainte d'avoir rencontré le « commandeur ». C'était en 68. Malraux, pensai-je, était déjà de l'autre côté. Une seconde fois, ce fut à la Fondation Maeght à Vence, où il ouvrait cette exposition dont les dieux renvoyaient tous les siècles dans l'éternel présent de l'art. Assis non loin d'une statue de Giacometti que le soleil écrasant faisait cliqueter comme l'armure d'un Don Quichotte réduit à sa plus simple expression, le maître trempé d'une sueur qui dégoulinait sur son épaisse veste pied-de-poule affirmait devant d'autres maîtres que le plus beau tableau du monde serait celui qui par son intensité brûlerait de lui-même.

La troisième fois, ce fut à un déjeuner chez Veira da Silva au moment de la publication de *Malraux, celui qui vient,* de mon ami Guy Suarès, que le peintre avait illustré d'une estampe saturnale aux sombres tourbillonnements : devant une de ses toiles-vitrail, Malraux lui lança superbement, comme un dieu jugeant de la création d'un des siens : « Vous êtes la petite fenêtre de l'Occident. »

La dernière, « fausse », rencontre fut une visite à Verrières où, creusant et labourant ses *Antimémoires,* il ne nous reçut point. J'entendis dans la pièce voisine une toux rauque qui s'achevait dans un râle. Ce fut tout : le fantôme inoubliable avait disparu.

Il fallait sans doute avoir subi ces différentes apparitions pour tenter de comprendre ensuite les étranges « discontinuités » dans la vie de Clara. Subjugué moi-même par le maître, je devais être mieux à même de saisir les lignes de défense de l'épouse, en sorte que celle qui fut sa compagne, pour obtenir le droit d'être et d'avoir été, dut combattre son droit à l'aimer. Nous verrons du reste dans ce chapitre à quel point son droit d'être femme fut une lutte permanente contre la bêtise des hommes et... le génie d'un homme qui, par nature, « était un peu inhumain ».

Lorsqu'ils se découvrent en 1921, elle a vingt-quatre ans. Il en a dix-neuf. « Quand je rencontre André, nous dit-elle, j'étais prête à aimer en lui les jeunes aventuriers. » Clara est donc vouée à l'aventure, comme toutes les femmes qui veulent s'affranchir d'un trop rapide enlisement dans le quotidien. « Un jeune homme, écrit-elle, est assis parmi une trentaine de personnes autour d'une table de banquet et c'est lui qui pendant des années comptera plus que tous les autres êtres... C'est un long et mince adolescent aux yeux trop grands dont les prunelles ne remplissent pas l'immense globe bombé. Il ne sait pas regarder les gens en face. La voix un peu parigote dit des choses curieusement denses. »

Clara ne tarde pas à découvrir non seulement un être habité, mais aussi celui qui va l'emmener dans l'ailleurs, et d'abord dans les musées... et aux courses. C'est normal ; ils aiment l'un et l'autre l'art et surtout le jeu. Quand le grand jeu cessera ils se sépareront. Pourtant il lui dira « Un peu plus tard, si je ne vous avais pas rencontrée j'aurais été un rat de bibliothèque. » Ce qui est vrai, tant le désir de tout savoir, de tout avaler, de tout comprendre, s'opposait chez André à celui qui voulait tout voir comme un grand amateur. Il le lui dit : « Je ne serai pas un écrivain, l'amateur est supérieur à celui qui crée... Les Chinois mettaient plus haut que le jardin l'amateur de jardins. » Finalement « il devint un merveilleux aventurier, un grand écrivain tout en étant un génial amateur ».

Ils vont vivre ainsi deux années dans le rêve et la

spéculation. L'époque y était favorable : « Tout déferlait sur nous, écrit Clara, en ces années de grande rupture. Nous étions devenus maîtres des Temps révolus des espaces non domestiqués. »

Quel tourbillon que la liberté. A peine fiancés, ils ont décidé de partir ensemble pour Florence, première étape de cette grande quête à travers le monde qui sera pour André la recherche de l'absolu et pour Clara la découverte du relatif. Unité et multiplicité : nous en avons le témoignage dans cette étonnante déclaration d'André : « soyez le plus juive et le plus femme possible, c'est comme cela que vous m'intéressez ». Ce qui voulait bien dire « soyez la plus ouverte et la mieux incarnée ».

Lui et elle : « Il voulait tout. Je voulais tout. Il dansait... mal, récitait des poèmes avec cette voix sourde et tremblante qui devait venir des hiérophantes de la Grèce... L'adolescent en face de moi avait comme toujours le visage secoué de constantes vibrations nerveuses qui en cet instant semblaient nées de l'intérêt de sa participation à toutes les émotions que l'art peut susciter... »

Les voilà dans le train, les deux adolescents, bientôt fiancés à Florence, libres en face l'un de l'autre, lui avec son pyjama qui lui donne l'air d'un Pierrot lunaire, elle essayant sans cesse de trouver en lui quelque mot pour assurer son existence : « Mes yeux mongols, mes yeux pers, mon humble éblouissement devant son intelligence... Il est surpris que je sache répondre à ses questions... Peu à peu nos baisers deviennent plus habiles et mon corps devient une immense possibilité de joie. »

Ils sont heureux. Ils reviennent, se marient, n'importe où, « au temple, à la synagogue, à l'église, pourquoi pas dans une mosquée », tout simplement chez M. le Maire où son alliance trop large menaçait déjà de s'échapper. Ils repartent aussitôt vers Prague à la recherche du Golem ; pour Vienne « qui ressemble à un carrousel tragique » ; à Magdebourg où la famille maternelle reçoit les jouvenceaux avec un regard étonné ; à Berlin où « toutes les nouveautés surgissent du désastre » : Spengler et la mort des civilisations, Keyserling et la recherche intérieure, Freud et le monde de « l'au-dedans », qui la porte à traduire, déjà, le *Journal psychanalytique d'une petite fille*. « Toujours entre deux voyages, nous sommes en pleine révolution surréaliste dont Breton demeure le pivot. Nous vivons tantôt ici, tantôt là, merveilleusement libres de nos mouvements, faisant de longues promenades dans les musées, de nombreuses stations dans les cinémas, les ballets, les boîtes de nuit, voulant être au centre de toutes les confluences. »

Et de quoi vivent-ils ? De l'air d'une époque, et surtout de la spéculation boursière... qui, après quelques jolis coups, les mène rapidement au désastre financier. « Le rêve de deux années s'écroulait, que devait désormais remplacer l'aventure après deux ans d'irréalité merveilleuse. »

Pourtant Clara au fur et à mesure cherche à se regarder dans les yeux de son compagnon, qui ne la regarde guère et se pose très tôt la question de son existence. Ses réflexions sur ce point sont nombreuses et suggestives dans ces années tournantes. Lui tout d'abord, qui est-il ? « Il me fit soupçonner une solidarité masculine inconnue de moi ; il me révéla l'existence de la misogynie », alors que Clara avait été élevée dans la certitude du privilège accordé aux filles dans sa famille, au sein de ce milieu « où les femmes de son entourage étaient plus cultivées que leurs compagnons ». Elle s'efforce de comprendre cet absent d'une présence absolue ; elle recherche avec crainte le sens de ce rapport qu'elle croit d'une inégalité flagrante : « Qu'est-ce que je représente pour lui ? Quelle enfance solitaire ma présence chasse-t-elle ? Quelle humiliation suis-je en train d'effacer ? Quel espoir brusquement surgi en lui met-il dans l'amour ? En cet instant je crois comprendre que notre amour est pour lui une conversion, la rupture de ses rapports antérieurs avec le monde... Notre mariage semblait un jeu qui ne nous engageait guère. »

« Que savais-je de lui ? Il maniait admirablement les idées, il était érudit... courageux, parfois plein d'humour, susceptible souvent. Quel recours lui était l'art ? ce que contenait pour lui l'œuvre écrite du peintre ?... J'avais regardé de près *Lunes en papier*... désinvolte poésie et ne pressentant en rien l'écrivain qu'il devait devenir... A travers quelques embellissements pathétiques je devinai une enfance triste. »

Si elle sonde « l'Inconnu » elle a déjà une vague conscience de sa perdition. « J'ai peur de ses mots à lui : je ne sais pas s'il y croit... J'avance comme à colin-maillard, les bras en avant, les mains chercheuses... pleine de tendresse... Je veux qu'il reste, pas pour toujours mais pour longtemps... » Et un peu plus tard : « Depuis qu'une présence exigeante m'impose d'être à chaque instant à la hauteur de moi-même, c'est-à-dire de celle que mon compagnon croit et veut que je sois, je crains de parler devant des tiers. Lui, mon compagnon, est tellement plus brillant que moi... Il occupe tout. »

Tout cela la plongeait dans un malaise qu'elle consignera, nous le verrons, avec une grande délicatesse et une grande intensité dans *le Livre de Comptes,* ces trente pages qui tenteront de condenser une vie qui peu à peu s'en va à la dérive. Elle était amoureuse autant qu'indécise :

« Celui, dit-elle, qui fut le compagnon le plus marquant de ma vie ne m'a à aucun moment fait le cadeau royal qui m'aurait permis d'avoir confiance en lui. Où s'arrêtait le Rêve pour mon compagnon ? Où commençait la Réalité pour lui ?

— Je mens, me dit-il un jour, mais mes mensonges deviennent des vérités. »

Elle craint le sable mouvant : « Moi je voulais une terre ferme sous mes pieds puisque tout entière comme une femme d'autrefois je m'étais remise entre les mains de celui qui donnait une saveur merveilleuse à chacun de mes instants. » Si elle le suit aveuglément, elle en prend tous les risques...

« Mon compagnon était misogyne... Je l'intéresse. Il ne s'ennuie pas avec moi... Je lui semble une interlocutrice valable... Je fais défiler devant lui un peuple quotidien, d'enfants, de femmes, avec lesquels jusque-là il n'avait jamais eu de rapports. Je le lui explique, si à d'autres moments nous gravissions ensemble je ne sais quelle montagne abstraite... Et pourtant je ne lui apparaissais pas comme une créature totalement humaine. Je m'en indignai, je réclamai plus d'existence, ce qui en amour veut dire indépendance, que je n'aurais guère demandée s'il m'avait pleinement reconnue... Mes tentatives de révolte dans le domaine intellectuel n'aboutissaient qu'à une plus grande soumission, souvent même à une humiliation... Il me parlait de l'esprit du corps féminin, de l'éternel féminin... La chose m'agace. Je ne voulais pas dépendre d'un prototype féminin, fût-il idéal... N'ayant rien à attendre des femmes que la sottise, l'hypocrisie, la déloyauté, mon compagnon avait tendance à exagérer mes vertus. La misogynie a du bon. Il voulait que je fusse LUI... »

Pendant dix ans, de 1921 à 1932, Clara écrira, réécrira sans cesse *le Livre de Comptes* qui est sans doute pour elle et tant d'autres femmes un véritable manifeste sur l'amour inégal qui conduit à l'effacement, et la condamnation du génie qui se suffit à lui-même et ne s'occupe point des autres. Clara dans ce superbe texte dans la bonne tradition stendhalienne divise son propos en trois thèmes qui s'enchaînent les uns aux autres : une déclaration d'amour, un aveu d'impuissance et la conscience d'être menacée de disparition. Oh, quelle déclaration d'amour que ce : « J'ai acquis la certitude qu'il valait mieux accepter que de me priver de vous. Je n'attends plus rien de vous-même que vous-même. Il y a à peine cinq ans que nous sommes mariés [Nous sommes donc en 1926]. J'attendais tout de vous. Aujourd'hui je sais que vous ne pouvez rien pour moi, que votre présence suffit à éloigner de moi tout ce qui n'est pas vous... J'ai été éblouie par vous. Je vous ai cru tendre, vous n'étiez que bon... J'avais jusque-là redouté le mariage, cette mise en commun de tout, de la famille, des amis, du destin. »

Cette déclaration d'amour est un aveu d'impuissance : « Ai-je mal joué à ce point ? J'accepte ma défaite. Les raisons en sont en moi. Ai-je joué parce que ne pouvant pas bien jouer ou bien ai-je mal joué parce que je ne savais pas jouer ? Quelquefois j'ai pensé " tu joues mal parce que ton partenaire triche ". Je sais que ce n'est pas vrai. Du reste, est-il nécessaire qu'un homme triche pour gagner... Il m'était arrivé fréquemment avec d'autres hommes de jouer un jeu qui m'a toujours réussi : j'écoutais ce qu'ils disaient avec la plus grande attention ; je les regardais dans les yeux... puis je leur demandais une précision sur un point qui m'était parfaitement clair... Mon interlocuteur développait, éclairait : je lui montrais alors que j'avais grâce à lui compris ce qui jusque-là m'était resté obscur. Il ne m'est jamais arrivé de ne pas voir l'homme attendri par ma faiblesse et ma confiance en lui. Il m'est arrivé deux fois au début de nos rapports de jouer ainsi avec vous. Et vous avez marché. Mais cette médecine impliquait un certain mépris. Ce fut ma profonde infériorité. Je ne vous méprisais pas... »

Ainsi, faute de ne plus savoir jouer, Clara s'engage

dans la voie de sa disparition, amputée de son passé, vidée dans son présent, menacée dans son avenir.

« Pour exister en face de vous, pour ne pas être un simple reflet de vous... j'ai gardé mon passé comme la preuve d'une existence antérieure. J'ai existé avant de vous connaître. N'étais-je peut-être alors que le reflet de plusieurs au lieu de n'être que le reflet d'un seul ; peut-être trouvé-je mon existence dans le fait de refléter plutôt l'un que l'autre, telle partie de celui-ci plutôt que celle-là. Et avant de refléter les êtres, n'ai-je pas reflété les héros... Je vous ai donné toutes les petites filles que j'ai été... Je ne voulais pas de plaisir qui ne fût un danger... comme si les hommes en demandaient tant... Réaliser un seul des rêves de l'enfance ne permet-il pas de se débarrasser des autres... Vous avez eu toute la chance même de ne pas être pour moi le premier homme qui comptait... Beaucoup de choses sont commandées par notre physique. Je ne suis pas assez jolie pour le Silence ; il demande un visage grave, régulier, mystérieux. J'ai su très jeune les limites que m'assignait mon corps : il me faut jouer sur l'expression, la vivacité, une certaine drôlerie de gestes et de mots... Votre présence me contraignait à la fidélité avec moi-même envers ce que vous aviez choisi de moi.

« Jusqu'à vingt ans j'ai eu cette folie de me croire traitée en égale par les hommes, de supposer que d'être une femme n'est pas d'office un handicap... Ne croyez pas que j'ignorais mes limites, je savais que ma faculté de comprendre était fonction de mon état de santé, de la personnalité de celui qui me parlait... Je savais que certains univers m'étaient interdits... Je luttais contre un effroyable désordre intérieur, une absence totale de discipline vraie... Aimer une femme, pour un homme, c'est peut-être la vouloir semblable à l'image qu'il s'est faite d'elle. Aimer, pour une femme, c'est vouloir que l'homme choisi ressemble à l'image qu'il s'est faite de lui-même et souvent plus simplement encore à être ce qu'il est... Longtemps j'ai employé le meilleur de moi-même à ne pas vous décevoir... Vous attendiez de moi des choses fort contradictoires : il vous aurait plu que je fusse brillante, mais il vous était impossible de vous effacer... ce qui restait en moi de l'enfance vous charmait à certains moments, vous irritait à d'autres... Plus je souhaitais vous plaire, et moins j'y parvenais... une partie de ma confiance en moi disparut, ma maladresse s'en accrut encore.

« Je dois vous avouer que s'il m'était difficile de vivre avec vous et les autres, il m'eût été impossible de vivre avec vous dans une île déserte. J'ai toujours eu besoin des êtres humains, de renouvellement... J'ai toujours aimé vous voir briller, et que cela rejaillisse sur moi... Mais briller devant vous est une joie qui me fut rarement donnée... Tandis que vous vous affirmiez de plus en plus, je m'effaçais de plus en plus... un seul de nous deux pouvait être visible. Vous et moi trouvions naturel que ce fût vous.

« Peu à peu, je me sentais devenir sauvage et silencieuse. Je perdais confiance en moi et à vingt-quatre ans tout ce qui faisait de moi une jeune femme, une femme jeune, le désir des hommes, la spontanéité des gestes, la gaieté du rire, l'audace qui permet de dire des bêtises, disparut.

« Mon corps me vint un peu en aide... il fit une maladie, ce qui nous rapprocha.

« Il me semble avoir souffert de l'effort du brin d'herbe pour sortir de terre. J'avais besoin d'un élément nouveau dans ma vie qui ne vînt pas de vous...

« L'idée me vint de vous parler de mon malaise. J'ignorais alors qu'un homme peut tout pardonner à une femme, sauf de ne pas la rendre heureuse. A partir de là, vous vous mîtes à interpréter mes phrases. Vous deviniez dans les moins préméditées d'entre elles une allusion à ce dont je m'étais plainte... »

Déclaration d'échec, aveu d'impuissance, ce *Livre de*

Comptes est aussi l'effort de Clara pour se retrouver elle-même, pour se situer, pour rassembler sa personnalité dispersée, éclatée, pulvérisée : ce premier texte qu'elle distille lentement est un texte lucide, le cri du cœur d'une femme terrassée par le génie, la volonté de se regarder dans un miroir qui lui renverrait enfin sa propre image au lieu de refléter cette omniprésence de l'autre. Clara avait eu le bonheur d'épouser un dieu, qui la laisse comme une vestale dans l'ombre de son temple. Ce *Livre de Comptes* sera comme le point d'appui d'une reconquête de soi-même, qu'elle poursuivra désormais toute sa vie.

Ce premier écrit fut pour elle un acte sacrilège — il le comprit — qui devenait le droit de ne pas disparaître. Il faut donc replacer ce *Livre de Comptes,* en ce milieu de vie, comme ce sommet où la femme lassée par le génie doit douloureusement redescendre vers elle-même.

Par la suite Clara se penchera souvent avec la distance nécessaire sur les difficultés du mariage « chargé de transformer deux êtres en couple tout en laissant à chacun sa personnalité » : la plupart de ses modèles, elle ira les chercher dans les héros de Benjamin Constant, « premier reporter » psychologique du couple, placé au confluent du romantisme et du classicisme : « car les difficultés que rencontrent Adolphe et Eléonore viennent d'eux-mêmes alors que celles du Prince et de la Princesse de Clèves viennent de la brusque apparition d'un étranger ».

Ses idées en ce domaine se résument en trois propositions qui s'imbriquent étroitement les unes dans les autres et déterminent le monde des femmes du XIXe siècle si bien analysées par Benjamin Constant. « Tout d'abord, écrit Clara, aimer est à tel point la seule profession des femmes que, homme, j'aurais honte d'être aimé par l'une d'elles. L'injustice de notre société, c'est d'obliger la plus grande partie des femmes à tout attendre de l'amour. » Elle pense aussi que les femmes de Benjamin Constant, d'une exceptionnelle intelligence, sont souvent considérées par l'auteur et par leur temps où elles souffraient de ne pouvoir développer des dons qu'elles sentaient en elles, comme des êtres dangereux, et que vivre avec elles est payer un prix trop élevé. Finalement, pour Clara le jeu de la vie est plus compliqué pour une femme, qui sait, même honnête, qu'il lui est impossible de gagner sans tricher plus ou moins.

C'est sans doute dans son article de « la Scène conjugale » que Clara nous livre de façon la plus pénétrante son expérience personnelle ressourcée dans les exemples de Benjamin Constant : selon Clara, les scènes d'Adolphe et d'Eléonore sont toujours orientées par le désir de la femme de retenir un homme qui se dérobe. Elle pense que la scène typiquement conjugale « est celle où un couple ne remet pas en question son existence mais espère au contraire la renforcer. Certains couples, avoue-t-elle, y trouvent leur équilibre... et les choses dites servent de tremplin aux scènes futures ». Elle s'empresse d'ajouter que la scène ne doit pas aboutir à la rupture mais créer l'illusion de la liberté et la réalité d'une intensité de rapports. Pourtant, s'il est certain qu'au cours de la scène les adversaires se disent des choses qu'il est bon qu'ils se disent, il arrive souvent que l'inconscient ait érigé entre eux de tels barrages que pour parvenir à dire le vrai il leur soit nécessaire de dire auparavant le faux même si ce faux est plus grave que le vrai. Peut-être avons-nous là, dans ces divers articles d'une grande finesse, une certaine explication des rapports singuliers qui mènerent ce couple exceptionnel vers la rupture inéluctable.

Faut-il encore penser à eux, surtout à elle, lorsqu'on découvre les trois petites piécettes qu'elle désirait voir jouer et qui reflètent encore les terribles incertitudes du couple dont le jeu finit par se perdre dans le suicide et le néant. Dans « l'impermanence » « elle » lui demande « si elle est comme tu voulais que je sois » : « j'aime, lui répond-il, que tu sois simplement vivante, sans étonnement devant le miracle de tous les instants ». Pourtant, à chaque rendez-vous, « elle » va changer un petit peu : ses yeux vont devenir d'une autre couleur, ce qu'il déteste « car il est un homme d'habitude » et il a peur de la voir ensuite grandir démesurément, toujours semblable et sans cesse différente. Finalement, ces diverses métamorphoses physiques la font ressembler à toutes celles qui passent dans la rue. Bien qu'elle soit pour lui toutes les autres, ne faut-il pas qu'elle demeure l'Unique ?

Dans « le Jeu » les amants modernes jouent à redevenir des personnages de l'ancien temps. Ils vont faire semblant d'être des autres, nés avant 1900. Le nouveau séducteur porte une redingote et un haut-de-forme. « Elle » porte une voilette et une robe de mousseline rose. Elle est devenue celle qu'il attend depuis toujours. Elle est sa vérité... dans le mensonge... et le jeu continue jusqu'au jour où redevenue elle-même, s'aimant elle-même, elle ne l'aime plus et le lui dit... si bien qu'il l'étrangle...

« Le Silence » est peut-être parmi les trois saynètes la plus intense et la plus dramatique : ici Marthe ne joue plus à devenir une autre. Elle se tait. « Il » ne peut plus lui arracher la moindre parole. Elle s'enfonce dans son silence. Quant à lui, depuis trois ans, il ne sait plus si elle est heureuse ou non de sa présence et la conjure de cesser de se taire, pendant que la neige tombe inlassablement. A la fin, avant le rideau, elle dira une seule phrase : « Mon chéri, comme le temps est mauvais aujourd'hui. » Et lui, qui ne l'entend plus, pense que tout est rentré dans l'ordre.

C'est par ce droit à écrire, une vraie ligne de force, que nous commençâmes nos entretiens sur les femmes.

— Vous avez écrit, Clara, une bonne dizaine de livres qui ont paru après la guerre. Je les ai lus et relus plume à la main, sans oublier bien sûr ce canevas de votre vie que furent les six tomes de votre autobiographie, mais sans les oublier, nous tâcherons d'éviter les sentiers battus. André Malraux fut-il pour vous un détonateur à retardement, ou ne joue-t-il qu'un rôle secondaire dans votre domaine réservé de l'écriture ?

— Ses écrits ont un peu compensé mon silence. Je sentais qu'il ne voulait pas que j'écrive. J'avais aussi l'impression que ce que j'allais dire serait tellement inférieur quant au contenu et à la forme. Je ne voyais donc pas les raisons pour lesquelles je lui causerais de la peine car écrire est toujours un effort.

— Pourtant, si votre premier livre a paru après la guerre — vous aviez presque cinquante ans — vous avez écrit sans publier dès votre petite enfance. Ne vous tenait-on pas, dans votre famille, pour un écrivain en herbe ?

— J'ai toujours plus ou moins écrit ou du moins raconté. Enfant, je me racontais et je racontais à mon frère des contes sans queue ni tête. Avant notre divorce, mais au moment où nous étions déjà presque séparés l'un de l'autre, André et moi, j'ai fait paraître ce *Livre de Comptes*, ce qui n'a pas contribué à nous rapprocher. Elsa avait montré ses écrits à Aragon qui ne l'en avait pas détournée, et son exemple me donna le courage de montrer mes élucubrations personnelles à mon seigneur et maître. Ce récit, je ne puis appeler cela autrement, que malgré les difficultés, je considérais comme une déclaration d'amour, mon compagnon le prit pour une trahison. « Voilà ce que vous avez fait de tant d'années d'amour », me lança-t-il à la tête, tandis

que d'un geste sûr mais irrité il jetait mes papiers à l'autre bout de la pièce.

Un peu plus tard, j'eus le courage de porter le *Livre de Comptes* à Paulhan qui le publia (à la N.R.F.) en me donnant des conseils qui me permirent certaines collaborations de presse.

Nous avons vu que le couple avait vécu deux années dans les divagations irréelles et que cette vie gratuite qu'ils menaient tant bien que mal grâce au jeu, à la spéculation, s'était subitement écroulée. A l'Irréel va succéder l'aventure, dans cette extraordinaire équipée « surréaliste » que fut « le voyage d'Indochine ».

Nous ne saurions trop conseiller au lecteur de lire de bout en bout le second tome des Mémoires où ce voyage est conté jour après jour et qui constitue un roman plus vrai que vrai. Il nous apparaît toutefois nécessaire d'en résumer les thèmes essentiels pour mieux comprendre, après les grandes surprises de l'amour, les avancées et les reculs de ce couple, le plus étrange et le plus séduisant de ce siècle.

En 1923, Alfred Salmony, attaché au Musée de Cologne, leur avait montré des photos de sculptures Thaï, « vrai mariage d'une tête Han et d'une tête romane ». Bouleversés par ces connivences nouvelles de l'art mondial, ces parentés de formes et de sensibilités qui seront l'aliment de la future *Psychologie de l'Art*, nos deux compagnons sont devenus complices. André, le meneur, découvre une idée de génie. « Du Siam au Cambodge, lui dit-il un soir, le long de la voie royale qui va de Dangrek à Angkor il y avait de grands temples... et des petits encore inconnus aujourd'hui... Eh bien, nous allons dans quelques petits temples du Cambodge, nous enlevons quelques statues, nous les vendons en Amérique, ce qui nous permettra ensuite de vivre tranquilles pendant deux ou trois ans. » Et de prendre alors toutes les mesures, devant une compagne un peu ébahie, pour assurer le succès de l'entreprise : il investit le musée Guimet, obtient non sans peine un ordre de mission archéologique bénévole, et se met en rapport de façon maladroite, envoyant des lettres compromettantes, avec ceux qui devront écouler la marchandise le moment venu, puis recrute un complice « incolore », Clara se voyant mal « toute seule avec ce compagnon délirant ».

Les voilà partis vers Saigon et Phnom Penh pour une traversée de quatre semaines où Clara sait dès le départ que « rien désormais ne sera plus comme avant ». Après avoir ébloui par leur savoir les représentants locaux de l'Ecole française d'Extrême-Orient, les complices achètent d'énormes coffres chinois ressemblant à des cercueils qui serviront à exporter les têtes khmères subtilisées dans le temple de Banteaï Srey, perdu dans la brousse et à peine connu des spécialistes. « Un jour, écrit Clara, nous sommes partis avec nos casques, nos tenues de toile, avançant peu à peu dans la forêt dense envahie des lamentations des singes qui selon la légende gémissent depuis que Bouddha leur a promis de les transformer en êtres humains. » Ils approchent ; « la forêt se fait-elle plus épaisse, devient-elle vraiment cette cuve où le soleil ne pénètre pas ». Ils ne sont pas loin du temple joyau et un ancien se souvenant d'avoir vu les ruines accepte d'y mener la petite expédition de cinq personnes conduite par celui qui pour elle demeure l'Inconnu. Elle avoue : « De cet homme que j'accompagne dans de si puériles chasses au trésor, je ne connais que les gestes de tendresse et l'originalité fraternelle de son esprit. » Ils débouchent enfin dans le lieu de la peur et l'émerveillement ! « Le vieillard s'était arrêté, le coupe-coupe haut... une porte s'ouvrait dans la broussaille sur une petite cour carrée aux dalles arrachées... Au fond, écroulé en partie... un temple rose, orné, paré, Trianon de la forêt sur lequel les taches de mousse semblaient une décoration... Au début, les instruments n'attaquaient pas le grès... les statues se brisaient... Les arbres foisonnaient dans un grondement de volcan mal endormi... Je suis la femme du brigand, me dis-je, avec un mélange de crainte et d'admiration au moment où sept pierres extraites au ciseau de pierre témoignent de l'œuvre achevée et permettent de penser que tout de nouveau va devenir possible. »

A ce niveau de l'expérience, que pense Clara de cette équipée où le vol fantaisiste se situe bien dans le sillage de cette époque d'après guerre où tout est remis en question. Un véritable acte surréaliste, une « action directe » dans le domaine de l'Esprit : vol, ou acte divin. Un acte divin sans doute qui va basculer dans la simple escroquerie avec préméditation. Clara restera péremptoire sur sa propre participation, et acceptera totalement son rôle de complice active. « Notre comportement, écrit-elle, ne fut pas sans grandeur, jusqu'à ma mort je le revendiquerai avec orgueil... Nous avons été les premiers de notre génération à sortir de la révolution intellectuelle, à transformer notre goût en gestes graves. Voilà, ajoute-t-elle, ce qui efface mes petites ou grandes lâchetés passées. » En somme, ils auront voulu voler Dieu disparu et rendre aux hommes non sans compensation, des statues que la forêt envahissante avait la volonté de détruire... Lord Elgin faisant sauter le Parthénon pour en récolter les statues et tant d'autres avaient déjà balisé la route !

Le coup paraît réussi, et les chars à bœufs ramènent les statues mortes dans leurs coffres cercueils. Elles sont embarquées dans les cales du navire qui les remonte vers Phnom Penh avec les passagers : « mission accomplie » ! Ce fut dans la nuit du 23 au 24 décembre 1923, écrit Clara, que notre bateau s'ancra devant l'ombre chinoise de la ville de Phnom Penh. On frappa à la porte de la cabine : « ça y est, ai-je dit ! Ça y était... ».

Les événements se précipitent. Les complices sont aussitôt inculpés et relégués à l'hôtel en résidence surveillée. Les accusations se précisent et les commissions rogatoires en France — qui traumatisent les parents — donnent des résultats déplorables et amassent des preuves accablantes. Clara « qui n'avait guère approuvé l'aventure, mettant peu d'espoir en elle, tout en y ayant participé le mieux possible » eut une idée de génie : « Je reçus une lettre de ma mère exigeant le divorce ; je pleurai (Vous sortez, lui dit André, votre petit mur des lamentations portatif) ; il fallait que l'un de nous retournât en France alerter ceux qui s'intéressaient à nous. » Elle simule une tentative de suicide au gardénal qui la mène à l'hôpital, puis une amnésie — et poursuit le *Livre de Comptes* — pendant que le compagnon « imprégné de Nietzsche prône une société qui permet et stabilise le triomphe des forts. Pour lui, dans ce Cambodge et ce Vietnam où règne la colonisation française, l'essentiel est de savoir comment l'Oriental s'accommodera de devenir un individu ».

Du fait de son état de santé, Clara est élargie et s'embarque pour la France afin de rechercher les appuis permettant de sauver son compagnon sur lequel le glaive de la justice veut s'abattre : la lourde responsabilité de Clara va succéder aux chimères de l'extrême fantaisie.

« Je me retournai sur mon passé vécu. Il convenait de quitter cet état d'enfance qui m'avait servi de refuge... J'avais perdu toute prise sur moi-même. Il fallait que je redevienne complètement adulte. »

La voilà, plus ou moins reléguée, humiliée, sur le bateau qui la conduit d'escale en escale vers la France. Elle y connaît un partenaire, Charles G., qui au large d'Aden saura devenir un amant sans cesser d'être un camarade. Après tout, Clara ne se débarrassait-elle pas le corps d'une intoxication de l'Esprit ?

Le retour est pénible : les journaux annoncent une

condamnation à trois ans de prison ferme pour « le voleur » d'Angkor. Clara affronte sa famille qui s'acharne. Rien ne sera plus comme avant. Sa mère pleure et se désespère. Clara se sent coupable de lui avoir imposé tant d'humiliations depuis que les autorités de là-bas « transformèrent en escroquerie sordide notre aventure fantaisiste qui au pire méritait une amende » A Paris, elle trouve dans l'avocat Monin un allié, en son beau-père un ami, et réveille tant et si bien l'intelligentsia française, que Breton et la N.R.F. en tête signent un manifeste demandant l'élargissement du coupable.

Un télégramme arrive : « Un an avec sursis. » Bientôt le compagnon débarque à Marseille. Clara l'attend sur le quai : « Dans chaque partie de mon corps je sentais l'attente... Il fut comme d'habitude merveilleux en lui-même et décevant pour une femme. » Son « cadeau » fut d'initier aussitôt Clara aux hallucinations du haschich qui l'entraînait dans un autre monde. Mais son projet fut de retourner aussitôt à Saïgon avec elle pour fonder un journal réformiste avec l'avocat Monin. Son reproche véhément fut de lui décocher l'invective suivante au moment où, de façon sincère et quelque peu maladroite, Clara lui avoua son éphémère infidélité avec un compagnon de « croisière » : « Pourquoi avez-vous fait cela... Si vous ne m'aviez pas sauvé la vie, je partirais. »

Et la vie recommence. Ils embarquent une nouvelle fois pour l'Indochine avec deux billets de troisième classe pour Singapour. « Je ne peux rester sur un échec, affirmait-il. » Le second séjour en Extrême-Orient après ce désastre sera un demi-échec. Si au départ l'aventurier avait des intentions politiques, au retour il s'engagera à devenir écrivain. Quant à l'épouse, cette seconde expérience active après l'aventure sera la trame de son premier roman, le *Portrait de Grisélidis*...

Si Clara Malraux a fait surgir de l'Occupation les différentes nouvelles de *la Maison ne fait pas crédit*, le *Portrait de Grisélidis*, son premier roman, a été nourri de ses expériences indochinoises. Ce roman, comme le second, *Par de plus longs chemins*, exprime les combats successifs d'une femme contre la soumission au génie qui menaçait de la désintégrer. Si Clara a tenté d'exorciser l'omniprésence de son inoubliable compagnon, c'est bien dans ces pages autobiographiques où, remodelant à sa manière ses aventures orientales, elle s'en libère par ce superbe cadeau qu'elle peut enfin se faire à elle-même : le droit de récrire sa vie avec la distance et l'intensité nécessaires.

Le *Portrait de Grisélidis* a pour thème de fond la légende de Chaucer :

— J'ai toujours été frappée, me dit Clara, par ce conte. C'est l'histoire d'un roi qui a épousé une bergère. Tout marche bien, ils sont heureux, ils ont deux enfants, jusqu'au moment où le prince se demande si elle l'aime vraiment, si elle ne l'a pas épousé par intérêt. Pour savoir à quoi s'en tenir, il lui impose des tas d'épreuves absolument monstrueuses, insensées. Il la dépouille de tout, lui enlève ses enfants et finit par la chasser, la laissant seule dans la forêt. Et la pauvre Grisélidis accepte tout avec soumission. Il paraît que c'est cela l'amour pour les hommes ! A la fin, convaincu qu'elle l'aime vraiment, le prince la reprend et lui rend tout, y compris ses enfants. Pour moi ce conte est à la fois l'image de la soumission et de la tyrannie arbitraire.

— Rappelez-vous cette phrase qu'André Malraux vous a dite : « Vous ne comprendrez jamais que pour un chrétien, la femme qu'il aime est toujours un peu la sainte Vierge. »

— Et je me suis empressée de lui répondre qu'un amour s'adresse à une créature précise et non pas à un prototype ! Là, dans ce conte, il s'agit simplement de la jalousie du mâle car le prince n'avait rien à reprocher à Grisélidis. Ce n'est pas elle qui avait voulu l'épouser. Un homme, même lorsqu'il n'est pas prince, peut toujours penser qu'une femme tire quelque avantage à être son épouse et j'imagine qu'André, si conscient de sa supériorité masculine, pensait la même chose : un homme trouve toujours une raison pour croire qu'il fait un beau cadeau à une femme en l'épousant, et je comprends qu'aujourd'hui il y ait tant de filles qui, même si elles vivent avec un homme depuis des années, ne veulent à aucun prix se marier... Pourtant, entre André et moi il a existé à un moment dans le couple que nous formions une telle complicité qu'elle justifiait complètement à ses yeux et aux miens notre union. En fait, nous étions un peu des déracinés-enracinés. André ne l'était pas de la même façon que moi. On pourrait considérer son adhésion au gaullisme comme une tentative d'enracinement par lequel — je reprends sa formule — il avait épousé la France. En fait, il était surtout un déraciné par son niveau culturel, séparé des siens par son intelligence. Pour moi c'était différent. J'étais de par mes origines une créature de rupture, d'une rupture enrichissante que m'avait léguée en quelque sorte une partie de l'Europe.

Le *Portrait de Grisélidis* se passe, qui ne l'aurait imaginé, en Indochine où Roger Perrouin, le médecin des métis, s'il n'est pas accusé de vol de statues khmères, se trouve compromis dans un trafic de drogue. A travers Roger, bien sûr, on retrouve le portrait d'André, et Bella l'héroïne n'est autre que Clara « intoxiquée » par cet homme à travers lequel elle a appris à voir, à entendre, à parler. Dans la bouche de Perrouin, on trouve la plupart des grands thèmes de Malraux à l'époque : « Le plus grand événement c'est la mort de Dieu... Nous ne portons plus de responsabilités personnelles car nous ne devons plus rendre compte... Nous avons gardé toutes les lois morales du christianisme soudain dépourvues de fondement. » Mort de Dieu mais aussi présence irrésistible du génie : « Perrouin était persuadé qu'un être pouvait être au centre de la création et de lui-même au point d'arriver à résumer l'essentiel en quelques formules. »

Si pour Perrouin « il y a tant de choses plus importantes que l'amour dans la vie d'un homme, pour Bella, fille de notables locaux, la rencontre est irrésistible ». « Ses affirmations, nous dit-elle, participent d'un système cohérent. Il ne me laisse voir que les pics qui émergent mais tout un réseau de chaînes sous-marines existent. » « Je ne suis pas intoxiquée par l'opium, avoue-t-elle à celui qui l'initie, à cet étrange paradis où chaque recoin de l'être est baigné de lucidité — je suis intoxiquée de vous. Vous n'avez pas le droit de m'abandonner puisque vous êtes irremplaçable... Qui donc pourrait me faire sentir combien chaque instant peut contenir d'événements et de pensées. Si vous me privez de vous, je mourrai... Combien est grande, ajoute-t-elle, la responsabilité de l'homme qui développe en une femme des besoins que lui seul peut satisfaire. »

Ce roman est celui de la soumission au génie, comme le conte de Grisélidis était celui de la soumission au fait du prince.

« Avoir en soi un besoin d'intelligence que ne peut satisfaire que le contact avec un esprit plus fort que le sien... et incapable de fonctionner dans la solitude ou dans les rapports avec ce qui lui est inférieur, nous dit Clara, c'est un drame spécifiquement féminin. » Ce roman de la soumission est aussi, comme le suivant, le roman de la confiscation dont la trame du récit exprime toutes les facettes plus ou moins vécues : le demi-mensonge de Perrouin qui cache à Bella son précédent mariage, aggravé par la haine des colonisateurs pour celui qui soigne les plus humbles des colonisés ; la traversée de Bella qui malgré ses parents vogue vers Paris pour défendre son compagnon et rencontre sur le bateau Bertrand Lenz avec lequel elle aura une liaison passagère. « Je n'ai pas partagé le passé de Roger, se dit-elle, ai-je partagé son présent ? Je ne partagerai pas, je le sens, son avenir. » Finalement, Roger obtient un sursis et regagne la France. Bella qui va l'accueillir à Marseille ne lui cache pas son aventure. Roger, comme André, le prend très mal. « Ce qui me dégoûte le plus dans ce que tu as fait, s'écrie-t-il, c'est les séquelles les plus abjectes que tu as ainsi appelées en moi. Il faut que je me donne un mal de chien pour ne pas te poser des questions ignobles. » Malgré tout, Bella va demeurer avec Roger. Elle tentera de devenir la femme de ce diable d'homme qu'elle avait pris pour un dieu, tout en restant elle-même.

C'est en pleine guerre que Clara inventa cette histoire de révolte et de soumission. « Je continuai ce roman, écrit-elle, avec d'autant plus d'ardeur qu'il me semblait ma dernière carte : puisque rien n'était sûr, il fallait au moins que demeurât un témoignage de mon besoin d'exister. Aujourd'hui, les revendications de ce livre ont pris un air d'évidence : droit pour une jeune fille à quelques expériences, droit dans un couple à un peu d'irrégularités qui ne soit pas d'office unilatéral ni ne prenne une forme imposée par le seul partenaire masculin. Lorsque je l'eus terminé en 1942, je le donnai à Blanzat. Grâce à lui, la troisième partie de Grisélidis ne décrit pas quinze ans de bonheur mais ne le rendait pas impossible... »

Pendant que Clara parlait de sa petite voix aiguë et pénétrante, je regardais sur sa commode une superbe tête gréco-bouddhique, témoin de la seconde aventure « réussie », après le sombre et douloureux échec des temples d'Angkor, et les joutes indécises du journal de Saigon. Nous sommes en 1931 : ils sont partis pour un troisième grand voyage vers la Perse dont elle gardera un souvenir inoubliable. Cette Perse, elle l'aimera « dès le premier regard posé sur ses hauteurs, pour le ruban vert de ses vallées, pour sa pureté toscane, pour sa rigueur et pour sa grâce, pour son ciel de pierre bleue ». Et de ce beau pays d'Ispahan, l'Unique, lui a laissé derrière la statue au sourire extatique ce joli tableau naïf représentant un mineur accroupi qui s'efforce inlassablement de percer une montagne pour conquérir à l'autre bout du tunnel la belle jeune fille qui l'attend. Dans la pièce où nous sommes, notre tête gréco-bouddhique revient au premier plan, car c'est vers elle que nos deux aventuriers sont déjà partis sur les traces de l'empereur Alexandre, pour atteindre Kaboul, dont les environs sont peuplés de montagnards farouches et dangereux, qui toute la nuit invoquent Allah en hurlant. Ils apprennent bientôt que l'on peut acheter dans certaines officines secrètes ces têtes de pierre blanche qu'il est interdit d'exporter. A la suite d'informations successives et de pistes diverses, ils finissent par les découvrir — éparpillées à même le sol — dans une salle en terre battue à demi obscure. Après de multiples tractations ils les achètent grâce à une « avance » très attendue de leur éditeur. Ils rentreront alors, interminablement, ayant bouclé leur premier tour du monde par l'Inde, la Chine, où André forgera *la Condition humaine* — le Japon, la Corée, Vancouver, pour voguer enfin vers la France sur le paquebot *La*

Fayette. Par miracle, les statues cette fois arrivent sans encombre à Paris et André qui a « raté la première fois réussit la seconde ». Il est blanchi et ses trouvailles exposées lui donnent une certaine notoriété pendant que Clara — une fois de plus — est reléguée dans l'ombre.

C'est sur cette tranche de vie que se déroule le second roman de Clara Malraux, *Par de plus longs chemins,* dont les thèmes prolongent et approfondissent ceux du *Portrait de Grisélidis,* dans ces trois actes qui l'animent : l'éblouissement, l'aventure, l'humiliation. L'héroïne Bella, qui a vécu jusque-là dans le monde des lourdeurs familiales, finit par épouser son cousin René dont elle aura une fille : « son mariage loin d'ouvrir les portes autour d'elle les avait presque toutes refermées ». Quant à sa fille, son entente avec sa grand-mère faisait de la jeune mère un être inutile... jusqu'au jour où Bernard, encore lui, apparaît. C'est encore l'éblouissement. « Il restera, écrit la narratrice, l'être que mon inconsciente attente a suscité. Il naissait de l'instant... Avec lui je crus que tout était juste. Je goûtai l'ivresse de l'étonnante exactitude... Il faisait que nous possédions seuls une commune monnaie. Avec lui j'ai senti... j'ai cru que j'avais une âme... Il remettait tout le monde en question, il découvrait son vide et sa plénitude... J'ai créé ma solitude pour qu'elle soit pleine de lui... Bernard était un lieu de constant renouvellement : si aucun réel n'avait pour lui de forme bien précise, aucune association d'idées n'avait pour lui de caractère définitif, toute combinaison intellectuelle se pouvait faire ou défaire, se laissant disposer pour aboutir à des rapports nouveaux... Une sorte de frénésie d'absolu le poussait à remettre en ordre ce qu'il trouvait en désordre. De tout ce qui était fragment il savait faire une totalité. »

Bernard ne va pas seulement éblouir celle qui le

dépeint de façon saisissante; il va aussi l'entraîner à quitter famille, mari et enfant pour un grand voyage dans le monde de l'archéologie gréco-bouddhique aux confins de l'Orient et de l'Occident. « Mon cher petit cheval, lui dit-il, il va falloir faire une longue randonnée, nous partirons dans huit jours... pour la Perse. » La voilà donc entraînée avec son génial complice, archéologue amateur, dans une longue randonnée d'amour et de perdition. Damas, Bagdad, la Perse « plus belle que toutes mes attentes... Je sais que j'ai été créée en vue de cette terre et dans aucun paradis ne saurait m'être rendu ce qu'on va m'enlever ». Après avoir séjourné à Ispahan, à Chiraz, Bernard rêve d'Afghanistan et les deux compagnons atteignent Kaboul et l'Alexandrie du Caucase. Là, dans les environs, se trouvent enfouies ces têtes gréco-bouddhiques qui pour les populations locales apportent le malheur et condamnent ceux qui veulent les exhumer. Peu à peu renseignés ils arrivent sur le champ de fouilles près de la route de l'Inde qui croise celle de la soie. Le campement s'installe près des stoupas effondrées, et sous les tells apparaissent bientôt ces têtes étranges auxquelles Bernard donne, à chacune, un nom et qu'ils remisent dans une tente dénommée « la cabine de Barbe-Bleue ». Bernard attrape bientôt la typhoïde et l'héroïne demeure la seule gardienne du camp que les indigènes peuvent attaquer. « Entre un malade délirant, des tribus menaçantes et les têtes qu'il faut sauver de la destruction, Bella n'a plus d'autre moyen de lutter que celui qui depuis des siècles a été réservé aux êtres de son sexe : l'attente. Le massacre est évité, l'archéologue sauvé, les statues vont être acheminées vers la France... »

Après l'éblouissement, l'aventure dangereuse, voici le temps de la confiscation. Pour Bella va commencer la vie de tous les jours, et pour son compagnon la moisson du succès. Elle va retrouver sa famille qui s'est détachée d'elle : « tout allait s'interposer entre nous depuis qu'on m'avait remplacée par une pauvre ménagère ». Bernard revoit sans elle les amis du musée et les journaux rendent compte de l'événement sans mentionner celle qui fut l'artisan du succès : « Un jeune explorateur annexe à la France une de ses plus importantes provinces artistiques. » Bella déchire le journal en pleurant. « Elle ne sait plus qui elle est : sans doute une femme frustrée de ses propres gestes. » En dépit des dîners mondains où il prend toute la place et des réceptions diverses autant qu'inutiles, Bella-Clara s'engage dans le monde de la perdition : le compagnon qui avait mis « toute sa force de participation à l'instant » l'abandonne au moment de la victoire. Pourtant elle ne cesse de l'admirer, et lorsque l'archéologue est envoyé seul en mission à Kaboul, Clara-Bella dans une longue marche solitaire et divagante s'approche du suicide : « Repartir à zéro, se dit-elle encore, serait repartir à moins que zéro. Je ne suis plus celle que j'étais avant de partir pour la Perse : je suis celle qui a tenté une aventure, qui a subi un échec. Je ne suis plus qu'une immense attente dont je sais qu'elle ne sera pas satisfaite. » Pourtant la vie va reprendre le dessus « car en ne me tuant pas, se dit-elle, j'ai tué mon seul témoin ».

« Oui, me dit Clara lorsque je lui parlai de ce livre, je vous dirai que ce roman est celui que je préfère. C'est certainement un livre écrit. J'y ai ajouté un élément poétique et su garder dans la fiction l'essentiel de mon expérience. J'aime surtout l'Iran qu'il évoque, ce pays qui a peut-être disparu pour toujours, où rien, presque rien, ne pouvait me faire prévoir ce qui vient d'arriver. Rien ? Enfin, pas tout à fait. J'ai assisté une fois derrière des volets fermés — il ne fallait pas être vu — à la commémoration de la mort à Kerbela des petits-fils du Prophète. Des hommes, torse nu, se fouettaient jusqu'au sang avec des chaînes pour témoigner de leur désespoir. C'était atroce. Je n'arrivais pas à rapprocher ces hommes de ceux que je voyais tous les jours au bazar, ou qui venaient nous rendre visite, doux, aimables, artistes, intelligents, avec ça ironiques, s'amusant d'eux-mêmes, se gardant de prendre les choses trop au sérieux. Non, je ne comprends pas : une minorité peut-elle rendre ainsi les gens fous, soumis ou résignés ? Pourtant ils vivent dans le plus beau pays et dans la plus belle lumière du monde. J'aurais aimé y retourner avant de mourir, mais dans ce pays règne aujourd'hui le fouet de Dieu qui porte le nom fallacieux de justice des hommes. »

Clara, morte peu de temps après, n'est jamais retournée dans cet Iran où elle avait retrouvé sa nouvelle enfance, là où son rêve de peintre naïf s'est enchaîné au sourire des statues de Gandhara... C'est là sans doute, si la survie se prolonge, qu'elle doit encore écrire ses nouveaux contes de Perse !

Et pourtant la vie de Clara n'est pas seulement un rêve, mais une sorte de témoignage à la fois réaliste et douloureux dont les deux thèmes essentiels demeurent la participation permanente aux événements de notre temps et l'optimisme qui la conduit de bout en bout.

— Oui, le grand intérêt de ce que j'ai écrit, me dit-elle, est d'être un témoignage, sur les femmes et pour les femmes.

— Pourtant, objectai-je, votre destin me paraît avoir été hors du commun, et peu de femmes auraient été capables de vivre la vie que, d'une certaine manière, vous vous êtes tracée.

— Eh bien vous vous trompez : mon témoignage

individuel, justement en ce qu'il a d'excessif, leur permettait d'apercevoir en clair dans mon destin ce qui apparaissait en moins clair dans celui de la plupart des femmes de mon époque.

— En somme, vous avez été le détonateur et dans une certaine mesure le précurseur ?

— Simone de Beauvoir et bien d'autres se sont exprimées à une époque où le hiatus entre ce que les femmes souhaitaient et ce qu'elles pouvaient obtenir en combattant était beaucoup moins accusé qu'à la mienne. En fait le grand changement s'est fait après la guerre, ce qui a entraîné des tas de difficultés pour les hommes, et pour les femmes aussi d'ailleurs.

— Les hommes se sont difficilement adaptés ?

— Pour eux ce n'était pas facile. N'étions-nous pas aux premiers jours d'une des plus importantes révolutions que le monde ait connues ?

— La prise de la Bastille masculine.

— Indiscutablement. La collectivité y a tout gagné. A commencer par les enfants qui ont cessé d'être élevés au petit bonheur la chance par des femmes situées en dehors de la vie. Comme tous les privilégiés lorsqu'on met leurs avantages en question, les hommes ont eu du mal à s'adapter et leurs difficultés n'avaient aucun rapport avec leur intelligence, voire même, et je pense à André, avec leur génie.

— C'était plus fort qu'eux-mêmes. Cela venait de plus loin.

— Bien sûr. Qu'il l'accepte ou non, l'homme a séjourné neuf mois dans le ventre d'une femme. Elle était son lien avec l'extérieur ; il s'alimentait à travers elle. La naissance est d'abord le rejet de ce qui fut une fusion absolue : une expulsion. Et tous les moyens seront bons pour effacer cette humiliation première. Comment ne pas jalouser, comment ne pas vouloir humilier celle qui a détenu une si étonnante part de votre bonheur et de votre souffrance. La quête de la douceur, du ventre maternel, dure toute la vie d'un homme et le geste de l'amour est un simulacre : retourner dans le nid originel. Peut-il pardonner à la femme autrement qu'en en faisant une créature inférieure, dépendante, en accusant de souillure tout ce qui témoigne de son rôle essentiel. On la rejette donc de l'humanité, on décrète qu'elle n'est qu'un réceptacle, on la châtre, on la transforme en objet voilé, on lui attribue toutes les faiblesses, on refuse de partager avec elle la connaissance, on ira jusqu'à lui refuser une âme. Mais cette partition des sexes a été somme toute aussi nuisible à l'homme qu'à la femme : qu'on mette en parallèle les cultures qui considèrent la femme comme un être humain et celles qui la tiennent exclusivement comme un animal reproducteur et de plaisir, et toute la différence apparaît : le voile islamique à la longue a plus abêti l'homme que la femme. Passé l'âge d'or des trois peuples du Livre, l'Islam a faiblement produit par rapport à l'Europe et ses mâles ont perdu ce qui construit l'être humain, l'exigence par rapport à soi-même. Là, pour avoir refusé la tentation constante du visage, du corps, de la séduction féminine, l'homme est devenu un être prêt à succomber à toutes les pulsions détestables.

« Comme il est difficile de reconnaître ses propres faiblesses et d'effacer les traces de son humiliation, l'homme les projette sur l'objet de sa convoitise. Puisqu'elle est cataloguée comme sans défense contre ses instincts, on va défendre la femme malgré elle : et de la voiler, de l'exciser, de l'enfermer, de l'abrutir et de lui mettre — ô Salammbô — aux chevilles de jolies petites chaînes qui l'empêchent de marcher. Il n'y a pas de quoi être fier. Tout au contraire l'Europe très récemment a demandé à ses hommes la maîtrise de soi-même. Une femme peut y montrer aujourd'hui ses jambes et ses bras nus sans qu'on la voile. Pourtant il reste encore chez nous des domaines intimes où l'homme entend rester le maître, comme le droit au refus dans le domaine sexuel. Dans un roman de Colette, la femme se permet, très gentiment d'ailleurs, de refuser de recevoir à un moment précis « l'hommage » de son partenaire. Et celui-ci de s'indigner. Colette aussi. André aussi quand je lui ai lu ce passage : il paraît que ce n'est ni poli ni convenable. Pour Colette aussi, cette femme-enfant met un invité à la porte ! Bizarre !

— N'exagérez-vous pas un peu, pour les besoins de la cause, cette jalousie masculine provoquée par une humiliation décisive !

— La preuve en est que devant cette humiliation fondamentale l'homme se rattrape en fabriquant de jolis mythes compensatoires. Par exemple cette histoire risible de la côte d'Adam, aussi riche dans l'inconscient que le complexe d'Œdipe : Dieu crée l'homme, qui s'ennuie — il aurait pu le prévoir. Alors Dieu l'endort pour qu'il ne souffre pas de l'opération projetée. Il n'aura pas autant d'égards pour la femme. Bref, il lui enlève une côte et en fait la compagne de l'homme. C'est bien la seule fois que selon la Bible, une créature vivante naît d'une créature masculine ! Ici l'homme, en l'occurrence, n'a que Dieu pour partenaire.

« J'ai déjà raconté (Clara devenait plus véhémente, presque emportée par une fureur divine) les réactions de mon cousin quand nous avons découvert ensemble — grâce au Larousse — le rôle de la femme dans la procréation. Mon jeune cousin m'a affirmé que pour sortir du ventre de la mère, l'enfant avait besoin de ce qu'il appelait le « lait de l'homme ». Son rôle dans toute cette histoire lui paraissait décidément ne pas avoir assez d'importance. Dommage qu'il n'ait pas approché la Bible dans cet esprit. Il aurait ainsi envisagé plus sereinement cette histoire de reproduction dans laquelle il souffrait de n'avoir qu'une trop faible part. Certes dans l'ensemble les hommes surmontent cette humiliation, mais souvenez-vous toujours : sans nous vous n'existeriez pas, grâce à nous vous avez pu être tirés du néant absolu. N'oubliez jamais que vous nous devez tout, que vous êtes et ne pouvez être en toutes circonstances que les numéros deux.

Clara se tut. Elle semblait espérer ma réponse masculine. Elle attendait que l'avocat répliquât même à demi-mot à son réquisitoire implacable. Certes, je fourbissais mes armes, je pensais à Médée, aux mères dévoreuses d'enfant et à bien d'autres, les pires — qui me passaient dans la tête. Pourtant j'acceptai tout cela comme la justice immanente. Mieux encore, j'avais envie de surenchérir. N'avais-je pas compris que faisant avec elle cette traversée dans le monde des femmes, j'avais le devoir de me mettre à leur place pour mieux être un homme ! Pour devenir celui qu'elles aimeraient regarder et qui se sentirait plus lui-même, d'avoir été revu et corrigé par une autre. C'était le sens même de nos entretiens dont la valeur active ne pouvait être autre chose qu'une véritable complicité : un abandon de soi pour être mieux soi-même.

— Malraux, hasardai-je, devait penser autrement. Ne vous a-t-il pas dit un jour — cela n'a pas dû vous réconforter — que l'existence de la femme lui paraissait douteuse ?

Allait-elle exploser ? Tout au contraire elle se radoucit, comprenant que j'avais su me cacher derrière un autre — auquel je donnais la parole.

— André avait des mots dont il ne se rendait même pas compte, par exemple lorsqu'il disait : « ça, c'est de la peinture de femme » ou « de la littérature de femme ». Rejetant son enfance comme sa naissance, il y avait là pour lui une infériorité congénitale. Mais moi, si j'étais une femme inférieure quand tout allait bien, je devais pour lui être aussi forte qu'un homme lorsqu'il y avait des difficultés. C'est ce qui a conduit notre relation à l'échec.

Elle poursuivit : — La connaissance consciente ou inconsciente de son humiliation et de son manque de maîtrise de lui-même a contraint l'homme à s'affirmer comme une créature du courage et de l'exploit. Surgit alors, de ce vice indéniable, cette absence de contrôle de ses instincts, et toutes ces stupidités spécifiquement masculines, comme la forfanterie — elle ne peut aboutir qu'au romanesque poétique —, l'oppression de la femme, le mensonge pur et simple et l'héroïsme de parade. J'y ajoute bien entendu l'appauvrissement général qui résulte du rejet de la participation féminine à la culture humaine. Tout cela, je le répète, sert à masquer la faiblesse fondamentale de l'homme devant ses désirs et plus encore sa jalousie monstrueuse du rôle de sa compagne dans la transmission de la vie.

— C'est cette humiliation sans doute qui vous fait rejeter — contrairement aux idées reçues — l'homme dans le « paraître » alors que les femmes, selon vous, sont avant tout respectueuses de l'être.

— Oui, les hommes ont toujours vécu dans le paraître, dans « l'uniforme » alors que les femmes ont été plus respectueuses de l'être.

— Et l'habillement, la parure, la mode, la séduction, cela n'existe pas chez les femmes ?

— L'habillement chez les femmes, c'est le jeu. Elles ne paraissent pas, elles jouent à paraître. De toute façon, c'est pour le partenaire que l'on se vêt et pour l'effet que l'on veut obtenir. Les hommes, eux, veulent représenter quelque chose, car il est certain que pendant très longtemps, le choix de l'individu comptait fort peu. Dès que vous représentiez un bien vous aviez un minimum de choix, vous transmettiez ce que vous possédiez. Après tout, la femme avait juste à séduire l'homme avec lequel elle allait coucher, et cela avait souvent peu d'importance, mais l'homme devait attirer tout ce qui entourait la femme. Son rôle de séduction était donc plus étendu car il devait convaincre la mère, le père, la famille, le milieu de la femme qu'il voulait appeler. Pour cela il devait représenter ce qu'il était, montrer tous les avantages qu'il devait offrir. Ce qui comptait ce n'était pas l'attirance réciproque, mais l'origine des partenaires, leur apport familial et social. L'homme devait être celui auquel on acceptait de remettre en plus de la fille et à travers elle un certain nombre d'avantages au nom desquels il devait séduire. Quant à la femme, on ne lui demandait pas grand-chose, sinon de faire des enfants, et, dans certains milieux, même pas de les élever. Dans les classes évoluées où la femme existait déjà un peu, elles arrivaient de temps en temps à avoir des petites idées en regardant par la fenêtre...

Ce disant, je savais que Clara pensait à sa mère, car son approche du monde féminin semble débuter par celle qui lui donna non seulement le jour mais aussi le sens du péché : « De ce quotidien enfantin, nous dit-elle dans ses Mémoires, surgit l'image désespérée de ma mère. Cinquante ans plus tard, elle aurait été journaliste, avocate ou médecin. En ce temps-là elle ne pouvait être rien d'autre qu'un amateur exerçant ses talents dans le vide. Maman a subi le contrecoup de tout sans pouvoir changer — fût-ce le plus frêle rayon de lumière passant à travers le rideau. Elle a été l'esclave de Michel-Ange impuissant sans même l'emphase des muscles tendus. Elle est pour moi le symbole de la femme telle que l'ont voulue des siècles de domination masculine. Je me suis révoltée contre sa condition et de ce fait souvent contre elle. Pourtant c'est elle qui m'a indiqué qu'il existait un autre chemin que celui qui lui avait été imposé. »

Si l'indignation devient le moteur où Clara puisera l'énergie nécessaire pour construire pendant cinquante années son univers féminin autonome, un certain sens de culpabilité envers sa mère jusqu'à sa mort ne la quittera plus.

« J'aurais voulu écrire un livre autour de ma mère. Je n'ose pas. Je l'ai trop aimée et je l'ai trop fait souffrir, mais à aucun moment je n'aurai voulu la blesser. Elle est morte du choix que j'ai fait de mon amour, de ce choix que j'ai renouvelé, même quand il n'était plus valable. Je lui ai manqué au moment où elle avait le plus besoin de moi... Maman, ajoute-t-elle, a payé pour tout, pour tout le monde. Elle a payé pour mon mariage avec le créateur de mon propre mythe, elle a payé pour la maladie de mon enfant, pour le délire du peuple qui détruisait les siens, pour mon terrible besoin de vie.

« En outre, je sentais en mon temps beaucoup plus les particularités du destin des femmes dans une France catholique, parce que je pouvais le comparer à celui des femmes dans une Allemagne où le protestantisme leur avait donné plus d'indépendance et de liberté. La différence d'attitude envers elles se faisait sentir très tôt. Nous en avons de multiples exemples : tout d'abord les écoles ont été mixtes en Allemagne avant de l'être en France. Les filles avaient de plus le droit de sortir seules très jeunes. Elles pouvaient se montrer partout avec des jeunes gens sans être accompagnées par de respectables duègnes. Les fiançailles en Allemagne duraient longtemps, de deux à trois ans, et pendant cette période, les jeunes filles avaient le droit de partir en voyage avec leur fiancé ; il devait bien y avoir quelques « dépassements » qu'on réparait par un mariage plus hâtif que prévu. Toutefois ces accidents étaient relativement rares car à cette époque la vente des produits anticonceptionnels était déjà libre.

« Toutes ces différences faisaient que le statut des adolescents en France avant la guerre de 14 était sans rapport avec celui d'outre-Rhin. Pensez donc ! Quand à seize ans je suis entrée au lycée Molière, voilà comment les choses se passaient : d'abord il fallait toujours avoir sous la main un billet signé de nos parents certifiant que nous avions le droit de nous rendre au lycée sans être accompagnés d'un adulte. Une surveillante, vieille fille aux cheveux tirés, au visage de cire, hargneuse, soupçonneuse, se trouvait à l'entrée. Elle passait sur les lèvres de l'une ou l'autre d'entre nous un bout de papier pour s'assurer qu'elle n'avait pas de rouge à lèvres. Certaines étaient suivies, lorsqu'on soupçonnait qu'elles faisaient des rencontres. Cela provoquait un scandale. Il régnait au lycée Molière en 1913 une véritable obsession de ce qu'on appelait la pureté — car la virginité devait se garder comme une maison de famille. Quant à nos lectures, on exerçait sur elles une surveillance serrée et il y avait d'ailleurs des collections entières destinées à notre usage : trop bêtes pour les mâles ! Je me souviens encore du scandale causé par la découverte dans mon cartable — car on fouillait les cartables à l'entrée du lycée des filles — du *Tristan et Iseult* de Bédier. Il a fallu que ma mère vienne témoigner qu'elle m'en avait autorisé la lecture. Après quoi, néanmoins, la directrice m'a fait comparaître pour m'informer que si elle acceptait les conditions de ma mère, elle m'interdisait de faire circuler cet ouvrage dans son honorable établissement.

« Je crois que ce clivage dans l'enseignement, cette séparation entre les sexes créait une situation particulièrement dangereuse. Les centres d'intérêt divergeaient totalement, les vues sur l'avenir n'avaient aucun rapport. Hommes et femmes étaient deux mondes destinés à n'avoir en commun que les enfants et la propriété ; et la deuxième n'allait pas de soi. Dans ces conditions, dès qu'un homme se trouvait seul avec une femme il se jetait sur elle. Elle n'était bonne qu'à ça. Le moindre petit crétin était un Valmont en puissance.

« Je me souviens aussi de nos tenues de bain. Des jupes, et la première fois que j'ai porté un maillot, c'était une provocation ! Le monde occidental a longtemps été un monde habillé où le corps n'avait pas de besoins, ni de droits. Et les règles ? Il faut en parler. Quelle histoire ! Si les filles de ma génération n'en étaient pas prévenues, ma gouvernante, en accord avec ma mère, m'avait mise au courant. Toutefois lorsque j'allais voir le médecin, il disait mystérieusement à ma mère " Quand viendra ce que nous attendons. " Pourquoi tout ce mystère ? Quant à moi, j'en avais une idée totalement fausse. Je pensais que c'était avec ce sang-là qu'on fabriquait les êtres humains. Ce que ma mère devait trouver honteux, je le prenais pour un phénomène glorieux... Voilà l'époque ! Même dans une famille assez libre comme la mienne, nous vivions le victorianisme dans toute son horreur. »

Après 14, selon Clara, rien n'avait pratiquement changé. Nul encore n'osait mettre en question les rapports entre adultes et adolescents... L'adultère masculin restait un accident prévisible, celui des femmes la destruction du groupe familial... les jeunes filles étudiaient mais le plus souvent, mariées, cessaient d'exercer une profession... Pour celles-là, parvenir à un poste de responsabilité semblait impossible. Ne pas atterrir vierge dans le mariage était faire preuve d'audace... Le corps, quand il était féminin, devait nier ses exigences. Les femmes ne détenaient pas le droit de vote, pas de compte en banque, pas de passeport sans autorisation conjugale...

— Toutes ces injustices, lui dis-je, ont donc fait de vous une ardente féministe...

— A vrai dire, je ne me sentais pas vraiment concernée par les premiers mouvements féministes. Je n'en avais pas besoin. Etre une femme, être une mère surtout, je trouvais cela merveilleux et je voulais beaucoup d'enfants. Savez-vous que pour moi je n'ai jamais regretté de ne pas être un homme, alors que beaucoup de mes amies, et même ma meilleure amie, souhaitaient être un garçon. Moi jamais. D'ailleurs, celles qui avaient le goût de l'aventure trouvaient qu'il était intéressant d'être femme dans une période de remise en question. Elles voyaient que quelque chose allait arriver. Par contre, celles qui nous tenaient comme de bonnes mères, de bonnes épouses, souhaitaient devenir des hommes. Elles pensaient que rien n'allait changer, et je croyais le contraire car j'avais à l'époque l'exemple de l'Allemagne qui sur ce point était en avance sur nous d'une bonne trentaine d'années. J'avais déjà de l'autre côté du Rhin une cousine qui allait devenir médecin et une autre dentiste. Toutes ces femmes avaient pour moi des destins, et pas seulement celui que leur donne la fonction exclusive de reproduire l'espèce. Ma mère voulait que je sois médecin, mais en ce qui me concerne, je n'aimais pas les contacts avec la maladie et le sang. Je pensais qu'il était indispensable qu'une femme travaille, sache s'exploiter elle-même pour ne pas se laisser exploiter par un homme. J'ai eu la chance à la mort de mon père d'avoir ma part de l'héritage. Je vivais de ça et je faisais des traductions — ce métier passionnant qui consiste à faire un chemin à travers l'autre, à être complice. Mais ce qui m'a le plus frappée plus tard c'est de gagner de l'argent en écrivant des livres, comme ça, avec ce qui sortait de mon crâne...

« Non seulement je n'ai pas regretté d'être femme, mais j'ai toujours souhaité avoir une fille : je pensais qu'étant de la nouvelle génération, la vie lui permettrait d'avoir ce que moi je n'avais pas eu : le respect de son compagnon, et le travail qu'elle pourrait désirer. J'ai été bien heureuse aussi lorsque ma fille Florence me dit qu'elle trouvait intéressant d'être une femme à notre époque.

— C'est normal, aujourd'hui soixante ans après nous avons vécu un véritable renversement des valeurs. Les femmes dans les sociétés occidentales ont acquis une grande part des droits qui jadis leur faisaient défaut. Elles sont libres d'aimer et de travailler, et surtout elles ont désormais le nombre d'enfants qu'elles désirent. Ceci me paraît la révolution principale dont les conséquences individuelles sont incalculables, non seulement pour aujourd'hui, mais aussi pour demain. Hier, les femmes étaient les agents de la reproduction (elles s'y usaient totalement lorsqu'il fallait accoucher de trois enfants pour n'en garder qu'un seul) et à présent elles peuvent espérer en devenir les maîtres. Hier, elles subissaient la procréation et aujourd'hui elles fabriquent elles-mêmes l'avenir. Elles peuvent même si elles le désirent ne pas avoir d'enfants du tout.

— Je vais vous en donner un exemple. Je connais une femme qui a quarante-six ans aujourd'hui. Elle a été jadis complètement écrasée par la forte personnalité et l'assise sociale de ses parents. A vingt-cinq ans, sans doute habitée par le vieux complexe du Père, elle ne s'est pas mariée. Pourtant aujourd'hui tout a changé pour elle. A vingt-cinq ans elle était cataloguée comme vieille fille et aujourd'hui, vingt ans après, elle travaille, vit dans son appartement, reçoit des amis. Elle avait une vie « en creux », elle a aujourd'hui une vie pleine. Elle est passée de l'état de laissée-pour-compte à l'état de célibataire. Elle existe par elle-même et non plus comme une créature insérée dans un groupe familial.

« Ce que je dis des célibataires, ajouta-t-elle, je le dis aussi des jeunes qui vivent ensemble sans se marier. C'est monnaie courante aujourd'hui. Pourtant il me faut ajouter que pour le moment les femmes payent durement les avantages acquis. En exerçant conjointement deux métiers — travail et maternité — leur part devient écrasante.

— Si la chanson nous dit que la femme est l'avenir de l'homme, pensez-vous Clara que désormais, elles deviennent aussi l'avenir du monde ? Maintenant qu'elles sont plus libres peuvent-elles créer de nouvelles valeurs ?

— Cette question est bien difficile, me répondit-elle en regardant par la fenêtre un vague coucher de soleil où les réponses pouvaient un peu mieux se dessiner... Nous sommes aujourd'hui dans une période de transition : vous les hommes êtes acculés à reconnaître enfin l'échec de votre gestion unilatérale du monde depuis des millénaires. Ce n'est pas en un jour que nous pourrons réparer vos dégâts et construire avec vous une nouvelle civilisation. Ainsi pour le moment, notre travail préliminaire est-il un travail de sape pour abattre ces fausses valeurs que vous aviez montées sur un piédestal : notamment l'héroïsme ou l'acte gratuit dans le sens le plus stupide... Le courage sans justification réelle est une chose aberrante. La vie demande dans son affrontement suffisamment d'héroïsme pour qu'on n'ait pas besoin de faire parade d'un courage purement décoratif. Pourtant à un moment donné l'avenir de l'homme et de la femme se feront ensemble.

— Vous croyez décidément que les femmes sont profondément meilleures que les hommes.

— Je crois qu'elles ont une vertu essentielle : l'autre existe davantage en elles. Aujourd'hui elles ont plus facilement tendance à se mettre à la place de l'autre. Je vois aussi, en ce qui les concerne, bien d'autres éléments : par exemple la redécouverte récente du corps humain — renouant avec la Grèce après des siècles de civilisation tenue, habillée, corsetée, au sein de laquelle le corps, la chair, était reconnu comme le péché. Il y a aussi le fait que les femmes s'expriment aujourd'hui de plus en plus dans le domaine de l'écriture. Jusqu'à présent elles n'avaient été vues qu'à travers le regard des hommes, lequel n'était pas toujours détestable, si j'en juge par la profondeur et la dimension des héroïnes de Shakespeare : Médée, Desdémone, Ophélie, sont des portraits saisissants... Mais enfin, c'était vous ! Aujourd'hui il apparaît que leur rythme dans la phrase est sensiblement différent et que les femmes s'expriment dans un langage qui se rapproche plus de la voix. Elles manifestent ainsi un autre rythme de la vie. Rémy de Gourmont ne disait-il pas déjà au siècle dernier que les femmes dès avant la naissance transmettent le langage à l'être humain et que toute enfance débute dans la vie avec la parole féminine. Aujourd'hui on va encore plus loin et on découvre que déjà dans le ventre de la mère, l'enfant entend sa voix. Ecouter un peu mieux cette voix « d'hier », c'est peut-être changer le monde de demain...

— « Le problème de la mère, disait avec humour un psychanalyste, c'est de savoir en sortir... » Merci, Clara, lui répondis-je en fermant ce jour-là l'appareil, la nuit étant venue, pour nous le problème désormais est de savoir y retourner comme il faut.

Je rentrai dans ma voiture, et tâchai de mettre mes idées en place, de faire le point sur ce que Clara m'avait dit, dans ce domaine où les hommes s'étaient rarement aventurés de façon soutenue, en se mettant vraiment à la place de l'autre. Certes je n'étais pas sans avoir dans beaucoup de domaines des opinions divergentes, voire même opposées. Pourtant, je m'étais tenu à mon rôle, en ce sens que je n'avais pas cherché à être l'avocat du diable. L'important pour moi c'est qu'en écoutant l'autre et me mettant à sa place, je m'étais enrichi. Ayant fait la traversée de l'autre, je m'étais un peu rendu à moi-même, et Clara serait toujours en moi, morte ou vivante, celle avec laquelle j'aimerais dialoguer. Car elle dialogue encore avec moi aujourd'hui, puisque dans une certaine mesure, à travers la parole, elle a su, comme un double nécessaire, se manifester en moi-même. De ceci, avec le temps, je lui ai une reconnaissance infinie. Elle m'a donné la femme qui se trouvait en moi, sans que je m'en sois rendu compte, comme Baldwin m'a habillé de cette peau noire que je n'avais pas, Miller de cette force américaine à laquelle je ne cesserai de m'alimenter, et Jean Charon m'a fait épouser cet univers peuplé d'esprit qui jusque-là me semblait avoir plongé dans le vide. Ne cessant jamais d'avoir été moi-même grâce à eux, sans même m'en être aperçu, je l'étais devenu encore un peu plus. A vous lecteur de penser qu'en essayant de faire ce chemin de vos modèles inverses, de vos contre-visages, vous pourrez peut-être acquérir cette douce et réconfortante liberté de devenir vous-même.

Quant à Clara, je la voyais se déterminer dans la douloureuse cohérence de sa féminité qui témoigne en faveur des autres femmes, justifiant ainsi quelques outrances. Dans ce combat amoureux par la plume, la voix et l'action — où la haine inutile de nos ardentes féministes est exclue — trois éléments viendront se mélanger, se fondre, pour lui donner sur ce point avec l'âge, où l'ouverture reste encore totale, une vision cohérente.

Le premier leitmotiv de sa vie, nous l'avons vu, sera la mère, sa propre mère : cette dernière restera à la fois pour Clara la source de l'indignation et l'aliment de la culpabilité. L'indignation devant cette vie occultée, entravée, d'une génération de femmes en demi-teinte, à moitié effacées, spectatrices placées selon le rang à l'orchestre ou au poulailler, mais condamnées en fait à ne jamais se trouver sur la scène où le spectacle — à la fois superbe et stupide — était réservé aux acteurs masculins. Quant aux actrices faites pour la parure, elles n'étaient que des reflets. Clara, au grand scandale, est montée sur la scène et sa mère en a tant souffert qu'elle a préféré finalement se suicider plutôt que de rester une créature à mi-chemin.

Le second thème face à l'absence sera la lutte contre l'omniprésence d'un compagnon. Après l'avoir entraînée dans des aventures inoubliables (toute femme peut en rêver, mais pas outre mesure car sa mission est de redescendre sur terre), et hypnotisée par son génie qui n'avait pour destin que lui-même et l'extraordinaire floraison de ses écrits, l'époux l'a reléguée dans un perpétuel second rôle, puis abandonnée au milieu du chemin, ne lui laissant que le moyen de souffrir. Enfin, troisième thème, de cette lutte pour dépasser une femme étouffée par l'absence et une épouse obsédée par un autre va renaître Clara, pendant la guerre, dans un affrontement quotidien de la vie. Ne voulant plus « refléter dans les yeux de son compagnon la conventionnelle Grisélidis », elle a su incarner, en repartant de zéro, jusqu'à la veille de sa mort — si proche lors de nos derniers entretiens — la femme de son temps. Avec Malraux elle avait été bousculée par une sorte de vision qui l'emportait vers les sommets sans espoir de retour. Avec elle-même elle retrouvera un regard, le sien, qui rejoint la petite fille de jadis, celui qu'elle conservera avec elle, pour elle, en elle, jusqu'à son dernier jour...

Avant de disparaître, Clara écrit un dernier livre, ce livre que tout écrivain aime réaliser, lorsque tout à coup sur le chemin de l'histoire, il découvre un autre moi, dans un autre temps. *Rahel ma grande sœur,* ce sera un peu comme une réincarnation dans l'histoire.

Il semble bien que Clara, « enfin débarrassée de son moi sous sa forme la plus directe », ses propres Mémoires étant achevés, ait découvert au-delà de quatre-vingts ans dans Rahel son personnage harmonique. « Rahel, nous dit-elle, me permettra cette penchée vers un autrui qui pour moi n'est pas une étrangère et dont j'ai tant besoin. » « Je penserai à toi, ajoute-t-elle, comme à une grande sœur que j'aimerais indulgente envers moi comme une mère. » Ainsi le dernier livre de Clara — l'avant-dernier, si l'on peut dire que celui-ci est encore le sien — est-il un livre de complicité historique.

Nous sommes à Berlin, en pleine Révolution française. Au moment même où à Paris les têtes tombent, il règne encore dans la capitale germanique l'esprit de Frédéric II et les petites communautés juives et huguenotes y donnent le ton de la liberté : le père de Rahel Levin, orfèvre et banquier de situation moyenne, fait partie des familles juives tolérées depuis que Frédéric II a supprimé les pogroms. C'est dans ce milieu israélite dont les maisons se remplissent d'œuvres d'art, que naissent à la fin du XVIIIe et au début du XIXe siècle les salons du monde germanique. Henriette Hertz avait commencé, puis Rahel ouvrit en 1794, à l'étage de la maison paternelle, un lieu de réunion que les familiers nommaient « la Mansarde ». Le père — pourtant intransigeant — avait volontiers autorisé ce lieu de rendez-vous et laissé sa fille sortir bientôt dans le monde. Car dans le milieu juif « si les fils deviennent les successeurs, les filles représentent l'acquis culturel dans le milieu ambiant ».

A l'époque où les jeunes filles nobles s'en tiennent

aux trois « K », *Kinder, Kirche, Küche*[1], la Mansarde, outre le romantisme, reçoit dans une grande simplicité Hölderlin, Novalis, Fichte, les frères Schlegel, « esprits catalyseurs » — comme Paulhan le sera plus tard —, et Louis Ferdinand, neveu de Frédéric II, prince hautement cultivé. Quant aux amies de Rahel, Clara se réjouit de les reconnaître aussi peu conventionnelles que possible : Pauline Wiesel n'était autre que la dernière maîtresse de Louis Ferdinand et Mme Viet, entre autres, formait avec Schlegel un couple scandaleux. Du reste, dans ses lettres, Rahel plaide le plus souvent pour la liberté et l'égalité des femmes dans des termes qui sont bien voisins de ceux de sa petite-fille spirituelle. « A bas les murailles », écrit-elle en ce qui concerne le mariage, en affirmant que les enfants ne devraient appartenir qu'à leur mère. Elle affirme en outre que les femmes mentent parce que les hommes les y contraignent, et qu'elles sont frivoles par le fait qu'on ne cesse de leur rebattre les oreilles d'une morale surannée qui leur interdit de prendre pied dans l'existence. « Nous avons, ajoute-t-elle, beaucoup plus besoin de renouvellement que les hommes, nous qui ne possédons que des petites besognes déprimantes, des tâches morcelées pour le bien de ces messieurs. » Si on a lu le présent chapitre, on croirait encore dialoguer avec Clara !

Quant à l'héroïne elle-même, on comprend parfaitement, à travers les descriptions qu'en firent ses contemporains du XIXe siècle, qu'elle avait de multiples points communs avec celle qui voudra traverser le XXe. « Ni grande, ni belle, mais fine et délicate de visage, avec des yeux qu'on n'aurait pas osé aborder avec une mauvaise conscience. » Plus tard, en 1827, Rahel a cinquante-six ans, un ami la décrit comme « une femme vieillissante, qui n'a jamais été jolie... qui a

1. Enfant, église, cuisine.

Clara Goldschmidt avec ses frères Georges et André.

Jacob Otto Goldschmidt, le père de Clara, et sa mère née Marguerite Heynemann, ainsi que Mme Louise Heynemann, sa grand-mère.

La famille Heynemann et Goldschmidt, les parents et grands-parents de Clara, dans le théâtre oriental.

Clara avec sa mère et son frère cadet avant la guerre de 14.

Clara Malraux vers 1935. Elle a environ 38 ans.

Clara Malraux vers 1935.

André et Clara Malraux regardent vers l'Est.

Henri Lefevre et son épouse avec Clara, qui retourne en Iran en 1967. *(Abadan).*

L'arrivée au kiboutz de Ein-Hahoresch. Rencontre de Clara et Lola Porat, le 21 mars 1981. *(Karine Brincourt).*

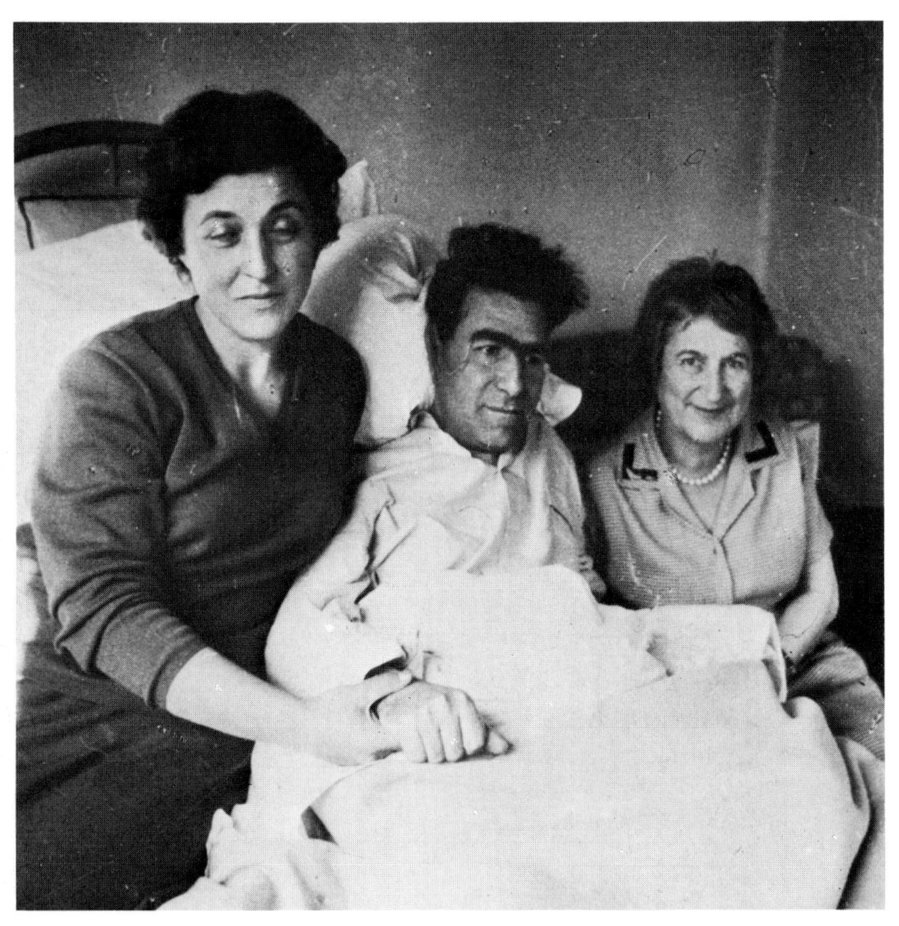

Clara Malraux, le peintre Jean-Michel Atlan et Denise, son épouse. Atlan est déjà atteint de la maladie qui l'emportera.

Clara Malraux et le peintre Gunther Hansing.

Au cours d'une réception aux éditions Stock en décembre 1979, Clara Malraux en compagnie d'Isaac B. Singer qui vient de recevoir le prix Nobel. *(Jacques Zelter)*.

Clara Malraux dans son appartement de la rue de l'Université.

85 ans moins un jour !

Le livre, toute sa vie.

Un regard sur la vie,
un regard sur le siècle.

quelque chose d'une fée, pour ne pas dire d'une sorcière ». De son côté, Astolphe de Custine, qui la connut un peu avant, écrit « qu'elle parlait pour communiquer la vie qui était en elle. »

Les débuts de Rahel ne furent pas heureux : créature handicapée à l'air souffreteux, écrasée par son père, point vraiment jolie et juive de surcroît à une époque où « l'acte de baptême était le seul billet d'entrée dans la société », elle va collectionner les échecs amoureux jusqu'au jour où sur le tard, à quarante-trois ans, elle épouse enfin l'âme sœur. Premier échec avec le baron de Finkenstein, point sot, bel homme et plutôt rassurant ; les fiançailles qui durèrent deux ans furent rompues « pour inconvenances sociales ». Rahel brisée en fit une maladie. Second échec avec l'Espagnol Urquitjo qui suscite la passion de Rahel. Au début, l'amant fut flatté du halo entourant cette femme, puis « semblable à l'époux de Grisélidis, il voulut sans cesse de nouvelles preuves d'amour ». Bien qu'elle lui fût totalement supérieure, la rupture la fit souffrir une seconde fois. « Toute fragile qu'elle était, dit Clara, Rahel était une forte qui surmonta la pesée paternelle, le handicap d'être juive et celui d'être une femme. »

Malgré ses déboires sentimentaux, Rahel continue à recevoir dans la Mansarde les acteurs les plus éminents du romantisme. Elle se console en se disant : « Qu'y a-t-il de plus intéressant qu'un être humain nouveau ? Seules les âmes opaques prospéreront dans la solitude. » Dans la Mansarde, ajoute-t-elle, « j'ai aimé, j'ai souffert, je me suis éveillée ». Du reste son troisième amour sera le bon, en la personne de Vernaghen, cet étudiant en médecine un peu frondeur qu'elle rencontre en 1803 et qui a quatorze ans de moins qu'elle : tout juste assez pour qu'elle découvre en lui l'élément féminin et lui l'inverse ! « J'ai été deux fois douloureusement rejetée, et j'ai fini par accepter un homme qui m'acceptait totalement. »

Comme Clara, Rahel sa sœur va connaître les renversements de situation. En 1791 la Révolution avait donné la citoyenneté française aux Juifs et Mendelshon, l'ami de Rahel, avait été le premier juif à être accueilli à l'Académie des sciences de Berlin. A partir de 1806 la petite capitale résonne sous les pas des envahisseurs et la Prusse est vaincue à Iéna. « Finis les espoirs, les passions romantiques, les libertés chéries, les remises en cause des rapports humains ; Berlin devient triste, la Mansarde ferme au moment où les associations patriotiques se multiplient. Le Romantisme cède la place au Nationalisme qui nourrit désormais les *Discours à la nation allemande* de Fichte. On assiste également à la renaissance de l'antisémitisme qui rejette une fois de plus les Juifs, encore tenus pour les artisans de la défaite. En 1812 pendant que Vernaghen s'engage à Hambourg, Rahel se trouve à Prague, découvrant les malheurs de la guerre et se faisant l'apôtre de cette entraide généralisée qui deviendra plus tard la Croix Rouge Internationale. »

La paix est revenue, le mariage a été scellé. Rahel a cinquante ans. De retour à Berlin elle y ouvre un deuxième salon en 1820. Cependant, rien n'était plus comme avant. Les anciens fidèles de la Mansarde étaient morts ou dispersés : « Je me heurte, nous dit-elle, à des inconnus », mais elle tente malgré tout de faire survivre cet ancien « esprit de conversation qui a été unique en Allemagne. Pourtant ajoute-t-elle, je ne reconnais plus ma société : en 1800 il y avait eu une révolution dans les mœurs. En 1815 plus rien n'en subsistait. Ce qui avait été conquis semblait définitivement perdu ; les femmes désormais devaient retourner à la cuisine, à l'église, élever les enfants ».

La fin approche. Il faut s'occuper de soi. Mère sans enfant, Rahel s'occupe de son neveu et de sa nièce. Quant à sa propre mort, elle la voit de manière presque bouddhique mais l'envisage aussi d'une façon angoissée : « Ah, dit-elle, nous ne sommes qu'une goutte de conscience. Je voudrais tant retourner à la mer, et n'être rien d'exceptionnel. » Pourtant, dans l'autre sens, elle redoute d'être enterrée vivante et demande qu'un couvercle de verre recouvre son cercueil et qu'on dépose celui-ci dans une bâtisse extérieure et non point dans la terre.

Rahel disparaît en 1833 à soixante-deux ans, et Vernaghen, qui avait déjà publié sa correspondance avec Goethe, fait ensuite paraître son livre de souvenirs destiné à ses amis. Jusqu'au bout il est resté le compagnon fidèle, et continuera à servir son culte après sa mort.

Si nous nous sommes un peu attardés sur le personnage de Rahel, c'est qu'il nous paraît bien être une certaine Clara dans l'autre siècle et que leurs personnalités sans être identiques demeurent cependant harmoniques dans toutes les facettes de la vie. Juives, libres, ouvertes, participantes, elles le seront toutes les deux à leur manière, séparées par un siècle : Juives, Rahel et Clara le resteront intimement jusqu'à la fin de leur vie : elles sont l'une et l'autre issues d'une bourgeoisie israélite d'outre-Rhin. Elles verront à la fois s'incarner les vertus de leur peuple d'origine et renaître de façon violente l'antisémitisme le plus virulent ; elles resteront l'une et l'autre les gardiennes des vertus du Livre et les dépositaires de la plus ancienne intelligence de l'humanité. Libres, elles le demeureront toutes les deux et militeront activement pour la libération des femmes et contre la bêtise des hommes. Si Rahel est victime des inconstances masculines, Clara sera celle d'un génie qui, dans une certaine mesure, ne regarde que lui-même. Toutes les deux, elles aimeront autant les hommes qu'elles chercheront à fustiger leurs fausses vanités.

Ouvertes, ô combien, toutes les deux aux réussites et

victimes des tragédies de leur siècle. Rahel tiendra la Mansarde pour irradier « l'esprit de conversation » de son temps. Elle réunira les lumières de son époque et demeurera l'apôtre du romantisme. Clara fera de la planète sa mansarde, et voudra traverser comme sa sœur les combats de son temps, dont elles sauront porter l'une et l'autre l'habit. Pour en témoigner, elles laisseront des Mémoires dont le message voudra demeurer — malgré les innombrables désillusions — celui de l'espérance.

Rahel cent ans plus tard aurait peut-être écrit la biographie de Clara et s'il existe encore là-haut une mansarde imaginaire, soyons sûrs qu'elles sont en train de dessiner le portrait d'une Rahel-Clara du XXIe siècle !

3

La traversée du siècle et l'affrontement du quotidien

La traversée du siècle pour Clara se déroulera vingt ans avec André et soixante ans avec elle-même. Si l'extraordinaire compagnon démultiplie le regard de celle qui voudra toujours avoir les yeux grands ouverts sur les drames et les nouveautés de son temps, Clara, répudiée, humiliée, lâchée, passera la seconde partie de sa vie à se reconquérir elle-même, en se retrouvant un passé qu'un acquis, fût-il sublime, lui avait confisqué. Elle se forgera une personnalité réelle dans l'affrontement quotidien.

Cette traversée pour Clara se situe certes sur des registres différents, mais se résume aussi dans un tempérament positif qui se nourrit de mots simples : étonnement d'exister, combat pour la liberté que sa judéité rendait nécessaire, affrontement lucide, ouverture complète sur le monde dans son essentielle multiplicité. Nous avons déjà suivi ce combat pour l'Irréel, où la petite fille, tout au long de son existence, tentera d'attacher les réalités de la vie à ses rêves enfantins. Nous avons vu la manière dont elle a voulu assumer sa condition de femme en luttant contre la bêtise des hommes et le génie d'un seul qui, menaçant d'occuper toute la place, risquait de ne plus rien lui laisser d'elle-même. Nous tenterons dans le prochain chapitre, de l'intégrer dans cette longue tradition qui se manifeste par les ruptures et la continuité d'un peuple juif élu et si souvent rejeté. Enfant, femme, juive, Clara sera aussi le témoin des désastres « masculins » : ses aventures et ses combats seront le plus souvent ceux de ces hommes qu'elle considère, nous l'avons vu, comme les seuls responsables des drames et folies de notre temps.

La traversée de Clara sera celle d'un siècle qui aura posé trop de questions pour y pouvoir répondre. Et lorsqu'il y sera répondu, les solutions simplistes mèneront inlassablement au désastre. C'est en ce sens que quelques-uns de ces combats, comme l'approche du communisme, pourraient nous apparaître aujourd'hui comme empreints d'une certaine naïveté, si nous ne nous souvenions qu'il fallait aussi affronter le nazisme : il demeurait à l'époque le mal absolu. Clara toujours un peu déçue gardera toujours l'espérance.

La vraie question, les deux compagnons l'avaient bien posée dès 1922, comme l'écrit Clara dans ses Mémoires. « Que faire dans un monde dont Dieu a disparu ? Quelle justification de sa présence l'homme peut trouver dans l'art ? Que vaut l'homme ? Quel est le rôle de l'histoire ? Quel est le rôle des mythes dans l'aventure humaine... » La réponse d'André Malraux se situera successivement dans le jeu de la gratuité absolue, de l'héroïsme « inutile » et dans une œuvre qui veut réintégrer dans le domaine de l'art une divinité perdue. Celle de Clara, souvent dictée par les événements et conduite par une raison féminine écartelée par des contradictions déroutantes, se nourrit d'une triple certitude : la revendication de la liberté, la volonté d'affronter le présent et la nécessité de projeter sur le monde le regard féminin de la diversité.

Le combat pour la liberté

Après la boucherie de 1914-1918, il semblait qu'un univers sans foi n'était pas sans espoir. Tout était neuf : « Oui, tout déferlait sur nous, écrit Clara, le passé, le présent, les millénaires, les régions jusque-là inaccessibles... Devant l'abondance de ce qui nous était échu en partage, nous n'étions que questions. Détruire avait rarement semblé aussi nécessaire. A ce jeu, le dadaïsme nous avait précédés... en Allemagne il y avait l'expressionnisme et son indignation... Les voies d'accès à l'homme se multipliaient... des formes nouvelles nous étaient révélées... Cependant, bien qu'éblouis de nouveautés nous étions désespérés. L'ordre de nos pères avait abouti au grand massacre. Seuls comptaient pour nous les héros, les artistes et les saints. » Malraux n'avait-il pas ajouté : « Nous sommes la première civilisation qui se sent coupable, conséquence de la mort de Dieu. » A cette question primordiale, lui et elle donneront des réponses différentes. André cherchera, dans son irrésistible quête de l'Absolu, à retrouver Dieu partout, Clara tentera plus modestement, mais avec une ténacité permanente, de « transformer ses rêves en espérance ! » Demain pour lui sera peut-être la grande retrouvaille divine ; demain pour elle vaudra mieux qu'aujourd'hui.

Devant ce flot d'interrogations sans réponses, Clara avait d'abord mené une vie indécise, dans la dimension de l'Irréel. Puis le goût de l'aventure les avait entraînés dans la dangereuse équipée surréaliste qui « consistait à détacher du granit du temple de Banteaï Srey les belles sculptures abandonnées à l'admiration des singes et livrées à l'inévitable érosion du temps ». Nous avons vu que la confiscation des statues khmères motiva, dans une certaine mesure, cet autre voyage en Afghanistan pour « récupérer » les statues gréco-bouddhiques. Pourtant la station forcée qu'impliquait ce « vol métaphysique » avait permis aux deux compagnons de se pencher vers ces peuples extrême-orientaux qu'un certain colonialisme apparemment musclé maintenait dans un état de silence. Las de regarder sans cesse du côté des dieux qui se dérobaient, ils se mirent, entre 1924 et 1926, au cours de leur second voyage en Indochine, à regarder du côté des hommes. Certes, aujourd'hui, cette action nous paraît bien « lointaine », puisque nous savons que ces peuples sont passés en cinquante ans d'une domination douce à la tyrannie implacable. Ils voulaient instaurer la démocratie, réformer les mœurs et les institutions... Puis il y eut la guerre mondiale, Dien Bien Phu, le ratissage américain, et aujourd'hui l'embrigadement totalitaire.

C'est en ce sens que le troisième volume des Mémoires de Clara, *les Combats et les jeux,* se lit d'une façon plus distraite tant il semble s'insérer dans un passé révolu qui ne laisse plus de traces. Ils étaient donc repartis vers l'extrême Orient pour « rendre l'Indochine à ceux auxquels elle appartenait, et tenter aussi, ayant perdu la première manche, de gagner la seconde. Nous assistons à un demi-succès : les voilà de nouveau sur la Rivière Saigon « dans ces terres incertaines où nous avons connu déjà tant de souffrances », avec le projet de créer un journal contre l'esclavage des autres, et surtout pour aider les Vietnamiens à devenir eux-mêmes, ce qui sera l'aliment de la *Tentation de l'Occident* et plus tard de *la Condition humaine...* Aussitôt débarqués, ils préparent avec la collaboration de l'avocat Monin, les maquettes de *l'Indochine enchaînée,* journal qui n'aura que quatre numéros... Innocents en politique, largement combattus par les dirigeants locaux qui, après les avoir tenus pour des voleurs, les considèrent maintenant comme des traîtres, ils rencontrent les représentants des milieux indépendantistes et chinois du Kuomintang et du parti communiste. Si ces actions étaient pour André un besoin de s'affirmer après un échec, pour Clara, toujours la même, elles correspondaient à un besoin de contact et de liberté. En outre, elle sentait bien que leur complicité devenait illusoire et, tout en ne sachant pas « désaimer », elle souffrait déjà de la solitude avant de souffrir, et combien, de l'abandon. Devénus des semi-hors-la-loi, le ballet-combat, qui était peut-être encore un autre jeu, se termine. « Le rideau, écrit Clara, tombe sur le drame asiatique qui devenait de moins en moins le nôtre. Il fallait retourner en France. André, se souvenant du contrat Grasset, était non seulement mûr, mais aussi condamné à écrire ; désormais ici comme ailleurs les événements et les rencontres seront les aliments de ses livres. » « L'Indochine, ajoute-t-elle, nous avait détruits et enrichis. Lui André tenterait avec ses armes propres de dominer le monde qui jusque-là lui avait résisté et auquel il allait, par l'écriture, imposer sa vision, ce à quoi n'avaient pu parvenir ses gestes maladroits d'aventurier du rêve... La muraille de fiction qu'il avait édifiée allait prendre un sens. Nos aventures indochinoises allaient aboutir à des grands livres qui leur donneraient un sens. »

Paris 1926 : Pour elle l'aventure bascule dans le quotidien... la complicité intense se dénoue dans les scènes conjugales.

En Europe deux idéologies, le communisme et le fascisme, montent à l'horizon, l'un qui sera l'échec né de l'espérance et l'autre un cataclysme né du désespoir. Beaucoup d'intellectuels pensèrent de bonne foi que le premier était seul capable de combattre le second : « Nous portâmes tout naturellement, écrit Clara, nos regards vers l'Est où semblait naître une approche différente de la vie. L'espoir qu'un homme nouveau se formait en Russie poussa plus d'un à s'intéresser au communisme. L'efficacité du marxisme retenait plus

André que sa justification intellectuelle et morale. Pourtant le sort de la créature humaine lui semblait en soi fondamentalement absurde ; l'homme était une accusation du Dieu absent. » En 1935, ils feront un voyage à Moscou, avec Paul et Henriette Nizan, au moment où Gide avant son retour d'U.R.S.S. penche aussi de ce côté-là. On y pense encore « que nul n'y est atteint d'humiliation... que naissent des rapports nouveaux... et André remarque qu'une telle approche sociale exclut l'obsession de la mort... » C'est l'époque du Congrès des Ecrivains où Eisenstein, qui n'est déjà plus *persona grata* du régime, veut mettre en scène *la Condition humaine*. Pourtant, insensiblement, derrière les apparences plus ou moins positives, naît le doute : les amoureux de l'art découvrent que la peinture néoréaliste édifiante rejette les vraies toiles modernes dans les caves des musées, et Staline affirme que les écrivains « doivent être les ingénieurs des âmes ». Le Congrès s'ouvre, ils sont tous présents, Babel, Pasternak, Klaus Mann, Aragon, Elsa et Sartre. C'est là que Malraux, dans une de ces envolées lyriques dont il a le secret, fait devant une assemblée médusée l'apologie de Trotsky ! Clara elle-même sera fortement ébranlée par sa conversation avec Babel encore riche, adulé, consacré. « J'ai le droit de ne pas écrire, lui confia-t-il. Mais je suis un écrivain. Un écrivain écrit. Dans mon tiroir, il y a deux romans : si on les trouve, je suis un homme mort. » « Il y avait la peur, conclut Clara, dont nous ignorions l'existence... »

« Pourtant, devant l'horreur fasciste, nous dit-elle, seul restait l'espoir soviétique. Je cherchai un équilibre entre le blâme et l'éloge, le doute et l'admiration. »

Un nouveau Congrès des Ecrivains a lieu en 1935... organisé par Ehrenbourg. Ils persistent... sans signer. Face au doute l'espoir est toujours le plus fort : « ... un nouvel homme était notre combat, un homme ouvert sur le passé, le présent, l'avenir guéri du péché de classe, vainqueur du dragon fasciste ». Pourtant si le congrès battait son plein à Paris, les procès battaient leur plein à Moscou. « Il ne fallait pas trop y penser ! !... » Plus tard Clara sera liée à des mouvements de résistance communistes dont l'efficacité, le courage et le sens du combat seront indéniables. En 1947, elle faillit adhérer au parti communiste : mais, effarée par le type de questionnaire méticuleux auquel elle doit répondre, elle refuse et conclut : « S'éloigner du communisme est douloureux. Tant d'espoirs disparaissent : adieu l'univers de justice, de l'épanouissement de tous les possibles, adieu à la foi dans l'histoire. J'ai fait partie de l'avant-garde des déçus. »

Pourtant, derrière la déception, il y avait d'autres voies. A Pontigny, Dieu n'était pas tout à fait mort, et Clara comme André furent les participants actifs de ces colloques successifs où le thomisme devenait un élément d'une nouvelle réflexion. A Paris, une autre espérance semblait naître dans les démocraties occidentales avec le Front Populaire. Amie de Madeleine et de Léo Lagrange — secrétaire d'Etat aux Sports dans le gouvernement Blum et instigateur des congés payés —, elle participa pleinement à la manifestation du 9 février 1934 Place de la République, affrontant les charges de la police. Elle pensera que les journées de mai et juin 36, délirantes comme celles de 1968, étaient deux moments où subitement tout devenait possible !

Attirance ambiguë vers le communisme, adhésion totale aux espoirs intermittents de la démocratie d'inspiration populaire, tout cela nous apparaît presque secondaire par rapport au combat permanent que Clara mène contre le fascisme, qui, lui, la blessait dans son être le plus profond — l'amour de la liberté — et la menaçait dans son existence de Juive persécutée. C'est cette lutte, plus que toute autre, qui, mettant en cause la longue tradition dont elle était issue, lui en fit prendre une conscience progressive : le démon antisémite en quelque sorte lui dévoila le Dieu de l'Ecriture.

Nous avons vu que Clara s'attristait de donner le jour à sa fille au moment où Hitler en prenant le pouvoir entraînait l'Europe dans la plus grande folie de tous les temps. « Le fascisme en Allemagne, nous dit-elle, c'était mon enfance détruite » mais ce fut aussi la révélation de la judéité pour celle qui jusque-là « n'imaginait pas le fait d'être juive comme autre chose qu'une appartenance à une minorité caractérisée par sa religion ». Bientôt en Allemagne on pille, on massacre, on humilie. Si dès janvier 1934 Malraux et Gide se rendent chez Goebbels pour intervenir en faveur de Dimitrov, Clara participe au mouvement de résistance Neu Begin et se rend en Allemagne pour défendre les syndicalistes de Wuppertal au cours de leur procès. Mais il y avait surtout l'émigration des Juifs, en attendant leur extermination. « Ces événements d'Allemagne, nous dit-elle, m'atteignaient comme la lèpre un homme du Moyen Age. » Dès 1934, Clara visite pour la première fois la Palestine, dans cette patrie perdue dont elle va devenir, après la guerre, le grand témoin de la Résurrection.

Mais avant il y aura la guerre d'Espagne, la Résistance, l'Occupation. La guerre d'Espagne fut la dernière et décevante entreprise de ces deux compagnons qui, à travers quinze années d'aventures n'avaient pu se retrouver qu'en elle. Ils avaient en commun de voguer au lointain mais ne pouvaient plus se reconnaître lorsque le navire accostait dans le port. « L'insurrection espagnole, écrit-elle, nous l'avons apprise en pleine joie du Front Populaire... La guerre d'Espagne, je l'avais conçue comme un nouveau départ. Nous allons de nouveau partager ce qui fut notre pain essentiel : le danger... » Ils vont s'y rendre pour continuer de vivre sur les mythes anciens renforcés par la menace du fascisme qui, elle, n'était pas mythique. Et les voilà partis pour Madrid avec Corniglion-Molinier, l'aviateur intrépide avec lequel Malraux avait inventé l'expédition farfelue qui consistait à retrouver le royaume de Saba, avant de lancer l'escadrille dont les acteurs seront ceux de *l'Espoir*. Mais cette action désespérée sera souvent inutile, et de plus en plus dangereuse. « De jour en jour, nous dit Clara, je devenais plus vulnérable au comportement d'André. Qu'il jouât aux héros d'hier me faisait mal... Hanté par l'absurde, il combattait avec acharnement et inconscience. » Devant lui, elle se sent des rêves antihéroïques qui seront désormais le ciment de sa volonté d'affrontement quotidien. Finalement, le 6 décembre 1936, un accident d'avion termine l'équipée aérienne espagnole d'André Malraux... qui dira un jour à sa compagne : « J'en ai assez de me battre pour des causes perdues. »

Pour la première fois, l'aventure espagnole est devenue progressivement pour Clara une aventure séparée de celle de son compagnon. Pour elle, cette guerre est un va-et-vient permanent entre Paris où grandit sa petite fille et combattent les amis allemands du réseau Neu Begin, et l'Espagne à feu et à sang. Elle parvient à se faire envoyer en mission pour porter un grand drapeau rouge brodé d'or à un régiment communiste de Barcelone, tout en pensant désormais qu'on se bat sans espoir et que les gestes sont souvent inutiles. « Je sais aujourd'hui, nous dit-elle à quarante ans de distance, que la guerre n'aboutit pas forcément à plus de pureté, que l'action n'aboutit que rarement à plus de justice. Mais je sais aussi que dans les pires moments il faut tenter de préserver l'essentiel de l'humain... »

C'est sur le front de Guadalajara qu'elle découvre une certaine façon d'envisager son avenir : « quatre ans me séparent de décisions simples : il s'agira alors de sauver la vie de mon enfant et la mienne : j'ai beaucoup joué. J'ai joué au risque, au danger, à la grandeur d'âme, puis un jour j'ai été dépassée par la réalité... une seule route s'est ouverte devant moi pour m'accepter et au besoin pour mourir. Alors j'ai cessé de jouer... »

Clara Malraux rentre dans les années sombres. Son compagnon se détache d'elle pour d'autres aventures : elle en souffrira cruellement. Un oncle allemand l'avait jadis abreuvée de contes et de légendes, elle le rencontre une dernière fois à l'escale avant qu'il vogue vers l'Amérique du Sud où il mourra de dépaysement. Elle sera indignée... Et finalement sa mère, que la vie avait lentement abandonnée, se suicide. Elle se découvre coupable. « Dans tous les domaines, j'ai été du côté des perdants. » Pourtant, elle avait déjà commencé à posséder quelques domaines personnels — qui lui permettront après Malraux de devenir bel et bien elle-même.

L'héroïsme inutile et l'affrontement du quotidien

Clara, qui n'a jamais aimé que la paix, a vécu dix années de guerre. Le déferlement des armées allemandes sur la France et l'antisémitisme grandissant vont encore lui apprendre à subir.

Jadis, le conflit de 1914 l'avait séparée de l'Allemagne, en lui enlevant son enfance et sa « double sécurité ». Déjà la jeune fille avait condamné l'héroïsme inutile des saint-cyriens : s'ils étaient libres, pensait-elle, de se faire tuer pour l'honneur, ils demeuraient responsables de la mort de tous les soldats qui se faisaient mitrailler derrière eux sans le vouloir. Au moment où sa mère risquait de perdre la nationalité française, son frère aîné, aviateur exposé, vomissait à la fois militaires et civils « qui portaient du sang sur les mains ».

Après l'aventure espagnole où elle fustige déjà tant de gestes inutiles Clara va passer sa troisième guerre à subir. Pendant quatre ans, elle émigre avec sa fille dans le sud-ouest qui sera à la fois le lieu de la rupture et celui de la reconquête de soi-même. Par devoir et aussi par nécessité, elle sera mère, juive, et bientôt résistante pour ne pas être une juive humiliée.

Finies les aventures où l'on se donne l'impression de changer le monde, lorsqu'il faut chaque jour se nourrir, se battre et se cacher. Absent pour toujours, le compagnon qui l'avait entraînée dans de superbes chevauchées imaginaires. A Toulouse, le 18 janvier 1942, c'est la rupture. Au moment où les persécutions nazies commencent à s'intensifier, la date est bien mal choisie pour demander le divorce. Mais André ne veut pas que le fils qu'il vient d'avoir avec Josette Clotis soit illégitime. « Comme je voudrais, répond Clara, que ma fille soit illégitime et qu'elle n'ait pas une mère juive. » Après l'avoir quitté, elle sanglote dans la rue d'Alsace-Lorraine. A présent, elle va tenter d'oublier cette grande ombre qui la recouvre, et repartant de zéro, construire sa vie sur une réalité quotidienne : à l'ascension chimérique va succéder l'incarnation douloureuse : « Pendant quatre ans, nous dit-elle, j'ai été seule responsable du destin de ma fille... mais il est une autre victoire : je possède désormais un passé personnel. » Cette vie dont elle aura l'exclusive propriété, elle va la bâtir sur les livres qu'elle se sent maintenant le devoir d'écrire, entourée de compagnons de lutte et d'amitié qui l'entraînent dans ce combat né du refus d'être reléguée dans le camp des opprimés « sans raison ». De plus en plus fière et consciente d'être juive, jusqu'à vouloir se déclarer dans une mairie malgré les sages conseils de Léo Hamon, elle tâchera néanmoins, par le baptême et la communion, d'intégrer sa propre fille dans cette religion catholique qui lui évite de trop grands risques. « Si les Allemands me tuent, nous dit-elle, il faut qu'ils aient raison. Je tente par mes actes de justifier la persécution. »

A Toulouse, en zone libre, les amis ne manqueront pas qui, comme elle, se cachent et combattent l'oppression nazie, et deviennent comme les premiers chrétiens des catacombes. Ce seront parmi tant d'autres Edgar Morin qui à dix-neuf ans s'engage dans une organisation de résistance, Madeleine Lagrange, bientôt veuve, Léo Hamon qui sera le conseiller fidèle, et ce Jean qui la ramène vers l'amour et l'entraîne dans l'action de plus en plus dangereuse.

« Manger, dormir, nous dit-elle, occupait une grande partie de notre temps... Cette résistance je n'en ai pas été une héroïne. Je me suis contentée d'accomplir un petit boulot d'allure quotidienne... La résistance pour moi n'avait été qu'une option entre la mort passive et la mort active. »

Actes irréguliers, passage de résistants, établissement de faux papiers, elle devra accomplir des missions périlleuses. Elle se rendra fréquemment à Lyon, capitale du monde secret où René Tavernier édite *Confluences*. L'étau se resserre et le réseau sera bientôt démantelé : Jean sera arrêté, torturé, fusillé. Clara continuera à vivre, à résister « sans éclats », et au moment de la libération à Dieulefit, elle s'opposera encore avec véhémence aux vainqueurs qui veulent fusiller sans raison un groupe de prisonniers allemands.

Cette guerre pour Clara ce sera donc une errance, une lutte clandestine qui va lui permettre la vraie victoire, la reconquête d'elle-même : une victoire de l'affrontement quotidien sur l'héroïsme inutile, une volonté de vivre dans le réel au lieu de poursuivre des aventures chimériques, une exigence d'être soi, elle qui se sentait avoir été « transportée » dans la vie par un autre qui, l'ayant répudiée, ne vivait plus auprès d'elle que par le souvenir de sa lumineuse intelligence. Si Clara a très tôt découvert les défauts de son compagnon — qu'elle avait voulu ne pas voir — elle ne reniera jamais les qualités d'un homme avec lequel pendant quinze ans « elle ne s'était jamais ennuyée » et qui avait donné un sens à sa vie.

C'est dans la solitude et la tourmente qu'elle va se forger cette philosophie bien féminine de l'affrontement quotidien ; car toute cette période va susciter en elle ce refus de la grandeur irréelle et de l'héroïsme inutile : « Susciter le péril pour l'affronter, écrit-elle, me paraît une dérision, peut-être un blasphème... Reste le courage qui consiste simplement à assumer la difficulté de notre condition... courage de femme... patience de femme qui tente de défendre sans vaine forfanterie l'enfant qu'elle aime, l'homme qu'elle aime, un courage qui ne fait pas étalage de sa force... le courage consistant simplement à avancer tout en sachant que cet effort pourrait être une route inutile. »

Celle qui pendant la guerre disait de son activité de résistante : « ce qui m'importait c'est que la mort d'aucun d'entre nous ne fût inutile », affirme un peu plus tard : « Le courage sur cette route n'a pas été mon sujet de réflexion, mais je me suis demandé ce que signifiait ce mot. A l'origine la force s'opposait à la force, et à ce jeu les hommes semblent avoir pris goût : dans tout courage il y a de la provocation et du jeu : vivre sa vie en tant que risque, a écrit celui qui fut mon compagnon. Nous les femmes, nous le savons mieux que l'homme, nous qui pendant des siècles avons risqué la mort pour transmettre la vie... Demain peut-être, quand notre part sera moins périlleuse, les hommes accepteront-ils de dévaloriser enfin leurs jeux sanglants. Aujourd'hui, je le répète, le courage ne m'inspire qu'un faible respect, plus faible que la patience que je ne possède pas, que l'esprit de suite dont je ne peux me targuer, que la générosité et que cette vertu spécifiquement féminine qui n'a même pas de nom et qui implique qu'on peut se mettre à la place de l'autre. Je hais le courage de forfanterie, j'en ai trop souffert. »

« A présent que nous sommes les nouveaux mousquetaires, ajoute-t-elle, qu'on me laisse dire et répéter que ce qui peut s'obtenir par l'effort et par la douceur, qu'on l'obtienne ainsi. » Et Clara de condamner certains faits de résistance entraînant de lourdes exécutions d'otages, des dynamitages dont les risques sont supérieurs aux avantages obtenus, et tant d'actes « sublimes » dont la qualité ne mène pratiquement à rien.

De là à détester les vainqueurs, il n'y avait qu'un pas. « Depuis des siècles, nous dit-elle, l'homme valorise le triomphateur, justifie toute défaite par quelque faute. Que les femmes s'attaquent à ces valeurs stupides, qu'elles osent dire que la défaite ne signifie que le triomphe de la force, que la faiblesse peut être une vertu. »

De cette reconquête personnelle Clara tirera deux ouvrages : *la Mort ne fait pas crédit* et *la Lutte inégale*, comme il lui avait fallu deux autres livres, *Grisélidis* et *Par de plus longs chemins* pour se distancer du « rapt psychologique » dont elle avait été l'objet de la part de son génial compagnon.

— Pendant la guerre, me dit-elle, je me suis remise à écrire avec l'idée que désormais j'avais le droit de faire paraître ce que j'écrivais. Enfin, de le faire paraître plus tard, puisque la guerre empêchait momentanément toute publication. Mais dès lors, il m'a semblé qu'écrire et publier m'était enfin permis. Les difficultés que j'affrontais étaient si grandes qu'elles m'amenaient à croire que j'avais le devoir de faire paraître un jour mon témoignage, car juive, chargée de mission, résistante, je pouvais à tout instant être condamnée au silence. J'ai donc commencé à penser que, ayant peut-être une voix, il faudrait, aussitôt que possible, tenter de la faire entendre.

— Votre premier livre en fait, lui demandai-je, c'est *la Maison ne fait pas crédit.* Il s'agit de nouvelles que vous avez écrites au temps de l'Occupation et dont l'exergue exprime toutes les intentions : « La vie est une maison qui ne fait pas crédit et où la seule dignité consiste à payer comptant sans essayer de tricher. » Tous vos personnages successifs sont plongés dans une dangereuse réalité : le courage désespéré d'une mère, la bassesse de l'homme, la résignation pleine d'amertume. Mais en réalité, vous le dites vous-même, le vrai personnage du livre c'est la guerre elle-même qui fausse tous les jeux.

— C'est un livre important pour moi et, depuis que je l'ai relu, plus que je ne le croyais : justement parce qu'il raconte l'histoire de ces hommes et surtout de ces femmes qui, au milieu d'événements terribles, sont capables, mais pas toujours, de bien réagir et savent comment répondre. Ni les uns ni les autres n'ont provoqué ces événements. Ils ne les affrontent pas pour pouvoir s'en targuer. Je dirai donc qu'ils répondent avec modestie... Oui, je croyais qu'avec le temps ce livre écrit sur les tables des bistrots de Toulouse s'était beaucoup éloigné de moi, et aujourd'hui je l'accepte tout entier. Il fut pour moi une sorte de renaissance, un dépassement de moi-même au moment où je commençai à travailler dans la Résistance : ce qui m'a toujours poussée à agir d'une certaine façon, c'est l'envie d'être à la hauteur des exigences. Ce qui m'intéresse, je le répète, c'est de savoir affronter au nom de ce qui paraît valable et de lutter contre ce que vous ne pouvez accepter. Affronter du reste aussi bien les difficultés quotidiennes que les circonstances exceptionnelles. J'ai connu par exemple une enfant aveugle que sa mère a su parfaitement réinsérer dans la vie normale : il y a eu, je le sais, dans son attitude une volonté réfléchie d'être à la hauteur des circonstances.

Ils sont tous à la hauteur des circonstances, ces divers personnages des nouvelles de *la Maison ne fait pas crédit,* publié en 1947 et réédité en 1981. Si toutes ces histoires se déroulent pendant la guerre, elles ne sont pas guerrières, et elles ont en commun, nous dit Clara, d'être toutes marquées par l'idée « d'humiliation bien ou mal surmontée ». *La fausse épreuve,* qui devait être d'abord le titre de l'ouvrage, est l'histoire de Lucienne-Clara, veuve humiliée qui dans son « réduit » de Montauban se trouve confrontée au risque latent d'abriter des résistants dont l'action peut mettre en cause la tranquillité de l'existence des deux petites filles qu'elle est chargée de protéger. « Debout entre la porte et la fenêtre Lucienne regardait ces deux hommes pour qui elle existait si peu... Elle n'était pour eux qu'une maison où ils pouvaient se reposer, se ravitailler, une maison qu'ils feraient flamber derrière eux si besoin était... Etant juive, son danger personnel lui suffisait », et de plus elle ne voulait pas courir de risques ni surtout que les petites filles en courent. Puis un jour deux gendarmes apparaissent : l'un des résistants, l'étranger, saute par la fenêtre pendant que Lucienne s'empresse de jeter les papiers compromettants dans le feu... Fausse alerte, les gendarmes qui venaient faire une visite de routine s'en retournent... les papiers n'ont pas été totalement brûlés, et Lucienne que l'amour avait diminuée, sent peu à peu que seule cette amitié de combat peut lui rendre ce dont on l'avait dépouillée. Il fallait cette « fausse épreuve » pour que viennent désormais se ranger à sa droite et à sa gauche ses qualités et ses défauts... Fatigue, pensera-t-elle dans une autre nouvelle : « Plus tard évidemment, les idiots vous diront : il en fallait du courage pour faire de la résistance... Comme si c'était du courage qu'il s'agissait. Du courage, bien entendu, mais pas tout le temps du vrai... »

Le vrai courage c'est sans doute celui de Jean qui vient d'être fusillé : « Vous croyez qu'il est mort sans révolte ? », demande Edith à Brice, son compagnon. Sans autre révolte, répondra Brice, que de quitter la vie... Et Edith sut qu'il avait eu raison de partir... Ce sera aussi le cadeau de Christine qui, avant de mourir de tuberculose à l'hôpital, crache dans le récipient pour qu'une jeune femme presque guérie puisse à sa place être considérée dans un état désespéré et éviter ainsi la déportation...

Comme l'affrontement et le courage quotidien, « l'humiliation » est aussi la commune mesure de cette guerre. L'humiliation du danseur viennois qui, ayant lancé par amour une mauvaise danseuse, lui voit hurler sa haine contre les Juifs le jour où traqué par les nazis il a voulu se réfugier chez elle. Humiliation dans l'autre sens du mari de Jeanne, devenu milicien pour faire oublier à ses beaux-parents sa modeste condition d'ouvrier. Dernière humiliation aussi pour Myriam la mère de Rachel qui, par crainte et nécessité, va faire enterrer chrétiennement sa fille : étonnante cérémonie où les participants israélites se comportent maladroitement à l'église « où quelque chose hurlait que la morte et ceux qui l'entouraient n'étaient pas chrétiens ». Là, levant son regard, Myriam vit une statue de la Vierge tenant sur ses genoux le corps vaincu de son enfant, et cela lui parut un horrible pastiche de sa propre douleur : « Que peut savoir de la mort, s'écrie-t-elle, une femme dont l'enfant est Dieu ? »

La dernière nouvelle de *la Maison ne fait pas crédit* est celle du prisonnier évadé devenu résistant, un André qui retrouvant Germaine sa femme lui dit toute la vérité : « Je n'ai pas été, lui avoue-t-il, plus courageux que celui-ci ou celui-là qui a lutté à mes côtés sans attirer l'attention. Prisonnier, j'ai rêvé de vous Germaine, je vous ai embellie... La libération nous a rendu des visages que nous n'aimons plus... Je ne veux plus de lâcheté entre vous et moi... Nous avons voyagé, nous avons traversé le désert, survolé de plus ou moins importants Himalayas, chassé des animaux difficiles, participé aux révolutions les plus bariolées... Vous avez eu la certitude que vous ne pouviez m'aimer que dans l'exaltation... J'ai dû me mettre à vous aimer vraiment quand vous-même cessiez de m'aimer. Nous ne nous aimions plus quand la guerre est venue fausser tous les jeux... Les années nues que nous venons de connaître nous auront épargné toutes ces fioritures de l'amour qui n'existe plus. »

Ainsi *la Maison ne fait pas crédit* se termine-t-elle par l'enterrement d'un amour que Clara ne peut oublier. Lorsqu'un jour elle entendra à la radio l'annonce de la mort d'André Malraux (une fausse nouvelle) ce sera plus fort qu'elle, elle sanglotera...

Si certains épisodes de *la Maison ne fait pas crédit,* émouvants par leur simplicité, leur vérité, mériteraient d'être portés à l'écran, le roman qui lui fait suite, *la Lutte inégale,* épanouit le premier ouvrage tout en livrant une nouvelle approche de cette longue période de la vie quotidienne de Clara dans la résistance-persécution. Il s'agit du roman-journal d'Eve, succession de tableaux vivants relatant « l'itinéraire douloureux d'une jeune femme juive d'origine allemande qui vit seule avec ses deux petites filles jumelles dans la région des Causses ». Devenue pauvre, abandonnée, amputée de sa vie passée, elle s'engagera dans l'action illégale, faisant courir par là même aux deux enfants des risques qui rendaient justement la lutte inégale.

Tous ces thèmes que Clara reprendra dans le dernier tome de ses Mémoires, vingt ans après, se situent dans cette ligne de la déception acceptée, de la vie dure et simple reconnue comme une responsabilité, de cet espoir qui se transforme en écriture, dans ce témoignage qui devient une façon d'exister : tout d'abord Eve se sent humiliée, rejetée : « Le pays que je croyais le mien me rejette, l'homme que j'avais choisi me rejette... Je suis même contagieuse puisque j'ai transmis mes infirmités à mes filles... Je devrais me sentir riche des deux mondes, je suis pauvre de deux mondes. » Si elle ne croit plus au Dieu d'Israël ni à aucun dieu, elle reste fière d'être juive, refuse d'être renégate, et lorsqu'elle assiste avec une certaine émotion à la messe de minuit d'un 24 décembre d'Occupation, elle ne manque pas de se dire : « Cette nuit nous l'avons payée cher. »

Rejetée, anéantie, Eve au long de ces années va trouver dans la réalité quotidienne et la lutte incertaine le sens de son destin, et le ciment de sa vie engagée plus avant « que les feux d'artifice de l'aventure dans un long tunnel de l'attente... ». « Je ne réfléchis plus à rien, ajoute-t-elle, je couds... Je suis ainsi détachée de tout, attachée à tout... Je suis là pour mes filles ; je suis là pour Pablo... c'est bon de se sentir important pour quelqu'un. J'ai appris à être partout à la fois, à la cuisine et à l'imprimerie... On fabrique le soir de faux papiers quand mes filles dorment... Ainsi peu à peu le quotidien et l'épique se mêlaient, formant une tresse où selon un rythme irrégulier apparaissent les courbes de la lutte ou de la vie familiale. »

Rejetée mais responsable, Eve peu à peu va se rassembler elle-même. Au début elle se dépeint comme une petite femme un peu crispée aux yeux vifs et anxieux... tenant de l'intellectuelle et de la bonne d'enfants. « Comment imaginer plus totale aliénation, se dit-elle, que celle que j'ai connue dans mes enfants, dans l'amitié, dans la lutte, dans le quotidien. Et voici, poursuit-elle vers la fin du roman, qu'après tant d'abandons de moi-même c'est moi que je trouve toute engrossée d'expérience. »

A la fin de la guerre, la narratrice sent avoir fait le chemin, et porte dorénavant en elle son propre témoignage. « Je suis étonnée d'être vivante... Il faut que je réapprenne à vivre. Et maintenant je suis seule, complètement seule. Il n'y a plus d'hommes à côté de moi : ni Pierre, ni Luc, ni Pablo ; je ne suis pas une héroïne. Je sais que j'aimerai ma vieillesse, comme j'ai aimé mon enfance grave, ma jeunesse angoissée, ma maternité batailleuse. » Voici enfin le temps d'écrire et de témoigner : au début elle hésite. « A peine, nous dit-elle, si en écrivant je me donnerai une forme à moi. » A la fin elle est pleinement décidée et lorsque arrive enfin le moment de la libération, son premier geste de femme libre est de s'écrire sur un carnet « en sachant que les mots que je vais tracer ne constituent un danger ni pour moi ni pour les autres. Quatre ans de combat ont suffi à me convaincre de mon écriture... ».

1944-1982 : Comment résumer presque quarante ans de vie dans cette seconde moitié du siècle, dont la première avait été déjà d'une richesse inouïe. Par trois mots peut-être : écrire, participer et voir, pour me donner enfin ces entretiens qui sont le regard d'une femme sur son siècle.

Ecrire : quinze ouvrages demeurent qui sont sous leurs aspects divers le témoignage de sa vie ; une œuvre plus ou moins épuisée qu'il faudrait bien rééditer aujourd'hui pour toutes les femmes qui cherchent à donner un sens à leur vie, et pour les hommes qui cherchent à mieux comprendre le monde des femmes.

Participer : depuis la fin de la guerre, la vie de Clara

fut une participation permanente aux événements de son temps et la poursuite de l'extension de son champ d'espérance : l'enfant qui la supporte et une certaine naïveté qui la tient la garderont toujours de la désillusion menaçante.

« 7 juin 1944 ! écrit-elle. Après nous avons cru au conte de fées. » Après un voyage en Allemagne, le refus d'adhérer au parti communiste, elle s'inscrira à l'Union des Ecrivains dont Martin-Chauffier est le président. En 1948 elle se passionne pour la Yougoslavie qui lui semble concilier communisme et liberté ; elle militera ouvertement comme sa fille au moment de la guerre d'Algérie.

André Malraux est devenu ministre du général de Gaulle : elle divorce officiellement tout en se réjouissant de voir Florence devenir malgré tout la complice de son père dans le domaine de l'art. Et 68 sera son dernier Rêve. « En 68, m'a-t-elle dit, c'était un rêve tellement immense. On aurait dû savoir que c'était un rêve. Au moment du Front populaire, ce n'était pas un rêve, c'était un espoir. Ce qui caractérise 68 c'est que l'espoir était imprécis, informel, il était lyrique. »

« Avons-nous cru à trop de choses, ajoute-t-elle, nous les gens de peu de foi : ces jours furent aussi des journées de rupture : révolution sans prophète, femmes décolonisées sorties du paternalisme et de la grandeur historique... Ces journées tumultueuses avaient marqué la fin de ma jeunesse. »

Le Nouveau regard

Après, pendant quinze ans, elle trouvera les moyens de rester jeune et curieuse jusqu'à la fin : « J'ai pensé que la curiosité est un des éléments qui m'attachent à la vie... Le spectacle a été passionnant : à mon départ le monde n'aura pas la même image qu'à mon arrivée... Est-il meilleur ou pire ? Mon optimisme me porte à croire qu'il est meilleur ; un effort d'honnêteté qu'il n'est pas pire... »

Participation-optimisme, ce dernier temps fut aussi celui de l'ouverture : de celle qui aura connu le monde surréaliste, communiste ou chrétien, nous pourrions dresser la liste des amis : ce sont ceux qui ont fabriqué notre siècle. « Qu'aurait été ma vie, s'écrie-t-elle, sans les rencontres. » Elle se voudra toujours au carrefour des races et des religions, au centre des confluences, « habillées » par son siècle et transparente de ceux qu'elle y rencontra.

« Ces rencontres sont les cailloux blancs laissés sur une route dont elles ont précisé les traces, petites flèches signalétiques dont je suis seule à comprendre le sens... Je pense que Platon portait en lui la possibilité de bénéficier de la grotte. Moi, si on me mettait dans une grotte, je deviendrais légume. Je suis de la nature des pierres de silex, je produis une étincelle quand on me frotte contre un autre silex. »

Toute sa vie Clara a vécu avec les autres et a su se mettre à la place des autres. Entre le rêve, l'aventure et le réel envahissant, elle s'est forgé une vie qui détermine, vers le soir, l'expression d'un nouveau regard dont elle a voulu me donner les éléments essentiels.

Puisque nous avons traité, lui dis-je, des enfants et des femmes, ces grands thèmes de votre vie, je voudrais que nous parlions de ce regard nouveau que la femme que vous êtes porte sur le monde d'aujourd'hui : il doit être bien différent de celui de votre enfance. Que pensez-vous de cette métamorphose ?

— D'abord il y a eu la lumière électrique. J'ai

d'abord vécu dans des maisons éclairées au gaz, que nous ne pouvions nous-mêmes allumer, car les suspensions étaient très élevées : il fallait monter sur un escabeau ou sur une chaise, munis d'un instrument qui prolongeait le bras. Vers 1910 nous avons eu l'électricité dans la maison : appuyer sur un bouton pour faire de la lumière a été pour moi un phénomène d'indépendance. A partir de ce moment-là, une des infériorités de l'enfance disparaissait : je pouvais faire, moi, petite fille, de la lumière partout où je passais, tandis qu'auparavant il fallait avoir recours à une grande personne pour la manifester. C'était donc une conquête pour moi, une façon nouvelle d'être indépendante des adultes. C'était aussi la fin de l'ombre dans la maison. Il est certain que l'obscurité n'avait pas du tout le même sens qu'aujourd'hui. Nous ne savons plus ce qu'est l'obscurité... On se couchait plus tôt, on se levait plus tôt. De sept heures du soir à sept heures du matin j'étais étendue dans la même pièce, ce qui donnait une très grande valeur à la fenêtre qui se découpait en clair de nuit.

— Les villes aussi, lui demandai-je, devaient être très sombres ?

— Je ne sais guère comment la vraie rue se présentait alors, car je ne suis jamais sortie la nuit quand j'étais petite fille. Aujourd'hui il existe une architecture nocturne, destinée à être vue éclairée. Les maisons construites depuis la guerre sont en général d'une grande laideur, ce sont des façades plates qui, devenant sales en peu de temps, ne font apparaître ni sculptures ni reliefs. Pourtant le soir surgit une nouvelle architecture née de l'éclairage : la lumière crée alors des formes qui n'existent pas pendant le jour. Je pense que les architectes devraient réfléchir à ces nouvelles formes suscitées par l'électricité, très différentes des formes diurnes. Ils devraient apprendre à utiliser, grâce à la lumière, ces façades qui, aussi anonymes que possible, ne transmettent rien pendant le jour. Il semble que l'on pourrait essayer de les restructurer les unes par rapport aux autres, de réaliser volontairement ce qui est pour le moment dû au hasard, pour qu'une ville, grâce à l'éclairage, naisse à partir de la nuit. L'ensemble de la Défense, par exemple, est un néant sauf le soir : les lumières s'y organisent les unes par rapport aux autres, et les masses s'y détachent autrement que le jour : une ville apparaît alors, différente.

— La nuit dans un sens a envahi le jour avec sa nouvelle lumière ?

— Il n'y a plus de jour ni de nuit. La lumière nocturne nous a donné un autre rapport avec le temps.

— Si la lumière est apparue, la vitesse a elle aussi modifié notre regard.

— Petite fille, j'ai été frappée dans le train par l'enchaînement du paysage né de la vitesse. C'est un peu comme si j'avais vécu dans la fragmentation, la discontinuité jusqu'au moment où je me suis trouvée dans les moyens de transport rapides. Soudain je me suis sentie dans une certaine continuité géographique. Quand je regardais par exemple par la fenêtre du train qui m'emmenait à Magdebourg, j'avais l'impression de voir le paysage s'enchaîner, la plaine devenir montagne, la montagne s'effriter pour devenir terrain plat. Cette même impression m'est revenue en Perse où le paysage m'a semblé lisible. J'avais l'impression que je savais le déchiffrer parce que j'avais en quelque sorte appris à lire un paysage dans la vitesse. Les impressionnistes ont dû naître de là, de ce regard instantané découvert par leur génération. Ce regard qui prend possession de quelque chose n'est pas le même lorsqu'il se pose un instant ou lorsqu'il est, si je puis dire, installé : or la peinture classique était une peinture installée, une peinture de la durée. Au contraire la peinture des impressionnistes est une peinture de la rapidité, de la découverte de l'instant due à la rapidité du déplacement. Mais il n'y a pas que le train, il y a aussi l'automobile qui nous a permis de voir autrement ce qui est devant nous...

— La voiture en elle-même n'est-elle pas une caméra ?

— En effet : tandis que dans le train on regarde les lignes naître les unes des autres, dans la voiture on les voit en quelque sorte s'imposer non dans leur naissance mais dans leur existence. C'est ainsi que la façon de regarder a changé selon les époques : la première fois que ma fille a été au cinéma, à six ans — elle n'a rien compris de ce qui se déroulait sur l'écran. Elle me disait tout le temps : « Mais où est-ce qu'il est passé le monsieur ? où est-ce que c'est parti ce qu'on a vu tout à l'heure. » Elle n'arrivait pas à remplir les blancs, créés par le déplacement de la caméra et des personnages. On apprend vite à lire le cinéma mais la première fois il est difficile de déchiffrer cette nouvelle écriture, le regard semble sauter d'un point à un autre... Notre regard est bien différent aujourd'hui, il est plus souple, il a dû s'adapter aux conditions nouvelles.

— Cette déstabilisation du regard due à la vitesse a peut-être signé l'arrêt de mort de la sculpture !

— On a essayé de rendre le mouvement à travers la sculpture : les chevaux par exemple devaient donner l'illusion du déplacement. Ils sont restés dans un mouvement figé...

— Mais il n'y a pas eu seulement l'apparition de la lumière nocturne, de la vitesse qui nous ont déstabilisés, mais aussi la vision d'en haut, le regard de Dieu que nous donne maintenant le voyage aérien, bientôt le voyage interplanétaire... C'est en 1921 que vous avez pris l'avion pour la première fois, en vous rendant à Prague avec André Malraux ?

— C'était un rêve extraordinaire. De Strasbourg nous sommes partis dans le ciel. Je me souviens de l'étonnement que j'ai ressenti en voyant la façon dont se présentait le paysage. Il n'était plus disposé parallèlement à nous mais s'étendait en dessous de nous dans une sorte d'immobilité comme une surface plane, partagée, fragmentée. Le paysage qu'on découvrait ainsi d'en haut était presque géométrique. Il était structuré comme une épure. Il présentait une sorte de stabilité. C'était une nouvelle façon de voir, une permanence du regard. Plus tard André et moi avons fait d'innombrables voyages en avion : en Perse — l'Iran s'appelait encore la Perse — toute cette région avec ses hauts plateaux rocheux faisait penser à la sculpture contemporaine.

— Une sorte d'abstraction...

— A tort ou à raison on croit voir en un instant l'essentiel.

— Ce surplomb, cette vitesse, cette lumière, en un mot cette modification du regard a fait naître l'esprit de comparaison, l'idée que tout est relatif.

— Il n'y a plus de passé. Racine par exemple parle des ancêtres exemplaires. Jadis, on évoquait toujours le passé comme on évoque la perfection que nous essayons d'atteindre. Au contraire, aujourd'hui on ne peut pas créer une œuvre d'art si cette œuvre n'apporte pas un élément nouveau. Chaque œuvre doit être plus ou moins une remise en question, sinon elle n'existe pas... Du reste, le passé, quand nous le regardons de près, était plutôt atroce.

— Et pourtant, le mot progrès semble aujourd'hui chargé d'une certaine ironie.

— On sait qu'il peut aboutir au pire.

— Ne serait-ce pas le neuf qui aurait remplacé ce qu'on appelait hier le mieux? Au mot progrès s'est peut-être substitué le mot changement, même si on ne sait pas très bien où il peut aboutir.

— Pourtant, lorsque je regarde ma longue traversée, je puis sans crainte de me tromper voir un certain nombre de domaines où les choses se sont améliorées et en particulier ceux dont nous aurons si longuement parlé : l'enfant, la femme, le métissage. Mais prenons aussi le domaine de la colonisation : nous n'avions jamais remis en question jusqu'au début de ce siècle l'idée que la colonisation était une sorte de service que nous rendions aux peuples colonisés : on permettait aux enfants de sortir de la stagnation. J'ai connu cette époque où l'Europe était sûre d'elle-même, sûre d'apporter aux autres continents les avantages du monde civilisé. Aujourd'hui cela paraît une dérision. Tout au contraire nous nous sentons coupables. Eh bien moi, je ne me sens pas coupable. Certes, nous avons suscité des injustices, qu'ils ne connaissaient pas encore, mais nous en avons supprimé d'autres. Nous avons généralement été plus doux que les conquérants d'autrefois, comme les Romains par exemple. En fait, je pense aujourd'hui que si nous avons été moins les bienfaiteurs que nous avons cru être hier, nous ne sommes pas non plus les grands coupables que nous pensons être aujourd'hui.

— En fait, les jeunes d'aujourd'hui ont acquis le sens que le monde est relatif, et pourtant nous assistons partout à une renaissance du fanatisme, cette maladie dont vous avez tant souffert au cours de votre vie.

— Dans ce domaine, je n'arrive guère à comprendre cette recrudescence du fanatisme : peut-être s'agit-il d'une recherche d'identité... C'est dans le même sens que la fameuse recherche d'identité à travers les revendications régionales me pose des problèmes. J'ai besoin de me sentir l'héritière de la plus vaste culture possible...

— A l'époque des avions et des fusées, il y a bien des pays d'où il est interdit de sortir.

— C'est une curiosité de notre époque et cela condamne sans appel les modes de vie qui aboutissent à de pareilles solutions. Les sociétés qui excluent le rapport avec les autres se condamnent elles-mêmes en avouant qu'elles sont incapables de supporter la comparaison. Pour moi, le mot clé, la référence permanente est l'idée d'ouverture. Ceux qui refusent cette ouverture doivent se sentir coupables de quelque chose : si à la pauvreté on ajoute l'interdit, on tombe dans l'atrocité.

— En 68 on clamait bien haut : il est interdit d'interdire...

— Aujourd'hui on circule en Europe avec une carte d'identité et jusqu'à la Première Guerre mondiale on pouvait circuler jusqu'en Russie avec une simple carte de visite... Pour 68, j'y ai participé et tous mes amis de ce temps-là sont mariés, ont des enfants qui ont une dizaine d'années. On les met tout de suite en face de ce qui est valable. On les éduque enfin dans le sens du relatif plus que dans celui de l'absolu. Peut-être s'agit-il là du véritable progrès, le progrès du relatif... Le fanatisme au contraire est peut-être suscité par l'échec de tant d'espoirs souvent absurdes, qu'on a fait miroiter aux yeux des hommes... Le seul progrès, je le répète, est celui du relatif. L'absolu aboutit toujours à l'Inquisition...

— Alors ces jeunes, dans quel monde se trouvent-ils aujourd'hui ?

— A vrai dire, dans un monde étrange. Un monde où tout est possible, avec la possibilité de s'autodétruire. Mais aussi un monde où tout est complexe, plein d'embûches, où on pourrait penser que rien n'est possible. Un monde d'incertitude, ouvert et rongé de fanatisme. Passionné d'avenir et plein de retours en arrière incompatibles avec une vraie construction de l'Europe que j'ai vu naître. Je ne vois pas pourquoi aujourd'hui on devrait se battre ou mourir pour la Bretagne ou pour la Corse. Au temps du métissage et de l'ouverture, cela me paraît incompréhensible...

— Et que retenez-vous aujourd'hui de cette traversée du siècle ?

— J'ai traversé ce siècle avec la passion de tout voir et de tout connaître. J'ai eu la couleur de mon époque. J'en ai quelquefois abusé, à dire vrai, car cette passion allait souvent au-delà de mes moyens. C'est sans doute l'origine d'une peur permanente qui est toujours demeurée en moi. Savez-vous que moi qui suis une optimiste incorrigible, j'ai eu sans cesse à subir les assauts d'une crainte envahissante. Ce fut mon lot ; peut-être la revanche de l'enfer en face de tous les petits paradis que j'ai reçus. J'ai connu tant de monde, tant de pays. Ma passion a toujours été d'avancer dans la connaissance. Et mon bonheur je l'ai découvert dans le domaine de l'art.

— Votre monnaie de l'absolu, comme André Malraux.

— Sur ce plan, je lui ai largement donné ma part. Il me communiquait son génie. Je lui ai transmis mon regard. Si j'ai vécu si longtemps avec ce compagnon difficile c'est que nous nous étions rejoints dans une certaine conception de la vie.

— Pourtant, en 68, vous n'étiez pas du même côté ?

— 1968, c'était l'espoir, l'horreur du dogmatisme, le droit de mettre en doute. A la fin, les jeunes ont été battus. Il y a eu les blessés de Mai. La fin de 68, ce fut la victoire des vieux.

— Malraux l'était-il ?

— Je n'en sais rien... Peut-être. Du moins je ne pouvais plus le connaître.

— Et s'il fallait, Clara, refaire votre vie, la referiez-vous de même ?

— J'aurais aimé voir encore d'autres choses, d'autres gens, d'autres pays. Pourtant j'ai un regret, un seul : celui d'avoir fait souffrir ma mère, surtout au moment de notre équipée cambodgienne. Si je recommençais, je tâcherais de lui faire moins de mal que je ne lui en ai fait.

— Alors, que diriez-vous aux jeunes d'aujourd'hui ? Leur livreriez-vous un message ?

— Je n'ai aucun message à livrer. Aucun conseil à donner. Je pourrais simplement leur dire : « Ne soyez jamais des spectateurs. Partagez. Regardez. Sentez. Surtout participez. Evitez d'être des spectateurs. C'est ce qui naguère était atroce dans la vie des femmes : elles étaient celles qui regardent du balcon. »

— Ne vivons-nous pas aujourd'hui dans un écheveau d'interrogations successives ?

— Nous sommes dans un monde qui pose plus de questions qu'il n'en résout. Lorsqu'on ne se posait pas de questions, c'est parce qu'il y avait des tabous. Le propre de l'homme c'est de poser des questions. Et résoudre les problèmes c'est en poser davantage. Chaque réponse à un problème pose encore plus de problèmes. Le XIXe siècle était une époque d'absolu. Moi j'ai connu l'époque des certitudes : le communisme était exact, le freudisme était infaillible. Les certitudes, cela conduit à saint Ignace, et nous avons vécu sur des certitudes qui mènent à des catastrophes. Je ne serais pas étonnée que nous soyons entrés dans l'ère du relatif. Dans la période du doute. La vérité a mille visages. Il n'y a plus de modèle unique. L'époque est passionnante. Quant aux jeunes, ils se rattachent à un rêve irréel, ce qui est bien difficile.

— Et vous ?

— C'est l'irréel qui me porte toujours. Je suis née jeune. Cela me suffit.

4

Le peuple des abeilles et le droit à la différence

Clara Malraux fait partie de ce peuple juif dont la condition même est d'être le plus original et le plus avancé du monde. Cela lui vient sans doute d'avoir été la première communauté monothéiste de la terre, mais aussi de la nécessité de cultiver sa force, son ingéniosité, sa capacité de résistance devant l'adversité permanente. Elu de Dieu, le peuple juif a été le plus souvent rejeté par les hommes ; nourri de rêves, il a été forcé d'être sans arrêt sur ses gardes : démultiplié par ses espérances, il est aussi façonné par la persécution. Car le peuple juif est le contraire d'un peuple nomade ; c'est une communauté à la fois d'ici et d'ailleurs qui a vocation à s'enraciner partout et que la haine, la jalousie, la persécution condamnent sans cesse à quitter le lieu de son enracinement. En ce sens, la diaspora depuis deux millénaires n'est pas venue d'un désir de conquête, mais de la nécessité de s'implanter successivement dans des lieux d'une existence souvent précaire. Aller plus loin pour les Juifs, depuis trois mille ans d'histoire, est souvent le seul moyen de ne pas être sacrifié : cette histoire de l'enfer est aussi la forge du paradis...

Histoire extraordinaire, à la fois mirifique et hallucinante, qui donne à beaucoup d'entre eux — à Clara aussi — ce regard à la fois inquiet des mémoires terrifiantes et rempli des lointains bleuâtres où Dieu va se manifester : la moitié de cette mémoire qui surgit des déserts du peuple de la loi sera aussi celle des chrétiens dont les livres d'histoire sainte recouvrent les mêmes images : la rupture viendra le jour où les adorateurs du fils, devenus majoritaires, s'en prirent avec acharnement aux élus de ce Père qu'ils voulaient détrôner.

Le peuple de l'Exode, derrière son arche d'alliance, un temple itinérant, avec ses Tables de la loi, va entrer dans sa Terre Promise. Et là, pendant des siècles au confluent des anciens mondes civilisés, il va non seulement s'ouvrir aux divers courants de pensée, mais sans cesse aussi se défendre contre ces innombrables dieux de l'Antiquité, dont le culte sensible aux âmes tendres met en cause son unité : ainsi les prophètes seront-ils tout au long de son histoire les gardiens jaloux de son identité. Et le jour où les Juifs quitteront la terre de leurs racines, ils emporteront avec eux le Talmud, « ce code de religion et de civilisation, cette patrie culturelle » qui restera aux quatre coins du monde le ciment de la communauté. Ainsi, dispersés, persécutés, les artisans du nouveau monde auront-ils gardé toute la sagesse de l'ancien : ouverts à toutes les nations d'Occident, dont ils assimileront les nouveautés, ils demeureront néanmoins séparés, rejetés, comme le peuple de la plus longue mémoire. Persécutés par les Romains qui les traitent souvent de séparatistes, fustigés par les Pères de l'Eglise selon la formule saisissante, « Fils aîné, peuple réprouvé, fils cadet, peuple aimé » ils seront, malgré leurs réussites spectaculaires, rejetés par les peuples du Moyen Age qui les traitent de déicides, et qui, avant de pouvoir les exterminer, les parquent dans les quartiers de la juiverie et les ghettos de la haine.

C'est donc dans ce dialogue de l'enracinement-déracinement, de l'unité-multiplicité, dans ce milieu de l'adaptation permanente que naquit Clara Malraux, et cette judéité fut sans doute un élément supplémentaire de notre obscure complicité : né dans le schéma d'une aristocratie rurale enracinée dans le sol, mes amis juifs m'ont toujours apporté les vertus des lointaines échappées : les uns, mes ancêtres, m'ont donné les racines, et les autres, mes amis, m'ont forgé d'autres ailes : ce sera bien sûr dans cette apparente opposition du proche et du lointain que se fera la civilisation de demain.

Avant d'entreprendre avec Clara « ce chemin de l'exode », il était bon, me semble-t-il, que je précise à ceux qui ne sont point initiés ce contexte historique dans lequel elle se trouve impliquée, ainsi que mes propres réflexions personnelles qui donnent tout son sens au message qu'elle a voulu me laisser. Que seraient ces paroles, si malgré certaines réticences, je n'y avais pleinement adhéré : aujourd'hui encore, je trouve dans ce peuple trois éléments spécifiques qui nous révèlent son originalité : la nécessité de l'intelligence, le droit de cité parmi les martyrs, et le rêve d'une Jérusalem incarnée qui a rendu au peuple de l'errance ses assises territoriales.

Elus de Dieu, les Juifs ne nous ont pas seulement apporté le rêve d'un paradis sur terre. Mais aussi par obligation, Clara dira même par sélection, une pléiade de réussites humaines dont le pourcentage est considérablement supérieur à celles des autres peuples : dépositaires du Livre, ils sont aussi les témoins de la diversité culturelle.

Forts par besoin, les Juifs ont été persécutés de tous temps par ceux qui auront tôt fait de rejeter sur eux leurs erreurs et leurs insuffisances : haine raciale parce qu'ils se veulent « séparés », haine sociale parce qu'ils sont souvent les plus habiles, haine religieuse contre ceux qui, fort injustement, seront accusés de déicide. Toutes ces vengeances, ces pogroms incessants culminent dans un holocauste généralisé perpétué par un Etat confisqué par une bande de ratés pervers qui mettent de sang-froid une fausse science au service d'une intolérable extermination. Si ce génocide de six millions d'hommes, de femmes et d'enfants a pu ébranler notre foi dans les « vertus » de l'espèce humaine, il a donné par son ampleur au peuple juif son droit définitif au respect et sa vocation irrésistible à la pérennité. Les témoins de l'Esprit sont aussi devenus les représentants des martyrs. Elu de Dieu, persécuté par les hommes, le peuple juif est enfin revenu vers sa terre promise : en ce sens Israël est la réponse à Auschwitz. Désormais ce peuple possède, non sans mal, sa double dimension recherchée pendant deux mille ans d'histoire. Sa vocation planétaire et son assise territoriale : le peuple aux cent patries possède aussi la sienne dans ce centre historique perpétuellement menacé : deux rêves de paradis encadrent le chemin de la douleur.

« Les Juifs, nous dit Clara Malraux, signifient au-delà d'eux-mêmes. Ils constituent une sorte de condensé de l'humanité. En eux se trouvent avec une sorte d'excès la grandeur et la misère des hommes. »

Elle mettra pourtant quarante ans pour repenser ce monde de l'au-delà de sa naissance et pour assimiler pleinement, comme beaucoup d'autres, le vrai message de ce peuple dont elle est issue. Certes, née juive de père et de mère, elle a hérité de ce côté-là ses quatre quartiers de détresse... Pourtant, ses parents, portés à exagérer comme toute bonne famille juive la moindre écorchure, n'étaient pas de bons Juifs sur le plan religieux... A peine respectaient-ils certaines coutumes traditionnelles et célébraient-ils certaines fêtes calendaires. Etant à elle seule tous les peuples du Livre elle a reçu d'abord le message de l'ouverture avant de s'identifier à sa tradition millénaire : Clara deviendra de plus en plus juive au fur et à mesure des persécutions et son combat pour Israël sera le couronnement de sa vie.

Dans son enfance, « juive sans savoir pourquoi », tout en étant fière de l'être, elle connaît sur le Spielplatz de Magdebourg la première humiliation et la première conscience du rejet : « Rien ne se passait à Magdebourg, écrit-elle, comme à Paris. L'événement qui m'atteignit dans l'Ile, s'il ne me tua pas, me marqua néanmoins. En Allemagne comme en France j'étais une demi-étrangère. A Sainte-Clotilde, les sœurs défroquées m'entouraient d'égards... et on me parlait de la joie qui régnerait au ciel le jour de ma conversion... » A Magdebourg, un été, Clara jouait à l'écart de ses parents, et des enfants s'avancèrent vers elle :

— « D'où es-tu ? Qui es-tu ? Pourquoi es-tu là ?

— Française, vacances, grands-parents, répondit-elle interloquée.

— C'est qui tes grands-parents ?

« Je ne peux qu'être fière de leur apprendre qui est mon grand-père, M. Heynemann [1], un bourgeois connu, respecté.

— Vous voyez qu'elle est juive, dit un garçon... Tu es juive ?

« L'idée de mentir ne me vint pas : — Oui.

« Tout change, plus de camarades curieux mais une montée de haine.

« Je me débats : — Laissez-moi.

1. Auquel Bismarck disait : « Quel dommage M. Heynemann, que tous les Juifs ne soient pas comme vous... »

« Une fillette, presque adolescente, s'approche de nous :

— Laissez-la donc tranquille, fait-elle. Elle ne sait pas bien l'allemand. Elle a répondu n'importe quoi. N'est-ce pas que tu n'es pas juive, dit ma protectrice.

« Je ne réponds pas.

« Ses copains attendent, rigoleurs et haineux.

— Vous voyez bien qu'elle est blonde. Tu es catholique ?

« Je ne veux pas encore mentir.

— Protestante ?

« Je fais non de la tête.

— Evangéliste ?

« J'entends ce terme pour la première fois, alors comme il n'a pas de contenu pour moi, je murmure " oui ". Et tandis que la jeune fille triomphe avec des " Je vous l'avais bien dit ", moi je m'échappe dans un grondement mécontent. Tout en courant, je sens dans mon dos des cailloux adroitement lancés, vigoureusement aussi, et qui font mal. »

Ce sera son premier éveil et sa première humiliation. « Malgré la blessure de Magdebourg, écrit-elle, je n'imaginais pas le fait d'être juive comme autre chose qu'une appartenance à une minorité caractérisée par sa religion. »

« Ils étaient nombreux, avour-t-elle en 1968 dans un article sur " l'Appartenance au judaïsme ", ceux pour qui jusqu'à l'horrible aventure hitlérienne être juif ne signifiait guère plus qu'une certaine surprise, quand au cours d'un voyage, ou d'un simple déplacement d'un quartier vers un autre, ils découvraient qu'un lien existait entre eux et des hommes différents d'aspect de ceux qui les entouraient, pourvus de mèches formant boucles d'oreilles, parlant une langue un peu rauque, accompagnés d'enfants tôt vêtus en adultes et de femmes aux cheveux cachés sous un châle. Pour moi à cette découverte s'en attache une autre : nous disposions de plus de fêtes que notre entourage... Le mot se précisa quand après mon mariage je devins membre d'une famille catholique où l'enfant représentait une moindre somme d'espoir que chez nous. »

Conscience vague, puis indignation progressive, la vie de Clara va devenir avec la guerre une découverte de l'identité juive. La persécution lui apprend qu'elle est issue d'une longue lignée dont elle partage désormais le destin. Non seulement elle se cache, mais elle va bientôt reprendre l'errance éternelle : « Moi, dit-elle, je ne pouvais oublier que j'étais juive, maladie que ma fille risquait d'attraper. »

Terrible arrachement : d'un côté elle refuse d'être renégate et selon la loi de Vichy veut se déclarer comme juive, ce dont Léo Hamon la dissuade, nous l'avons vu, de l'autre elle s'empresse d'intégrer sa fille pour la protéger dans la religion de son père absent. C'est dans cette période douloureuse que Clara, qui a été élevée dans quatre fois et semblait devoir ignorer l'allégeance unique, retrouve la grande roue de l'imaginaire ancestral. « Déjà, nous dit-elle, dans l'Histoire Sainte de l'école Sainte-Clotilde, les prêtres de Baal jetaient avec de longues fourches des enfants dans un four embrasé. A l'arrière-plan les mères levaient au ciel leurs bras désespérés. Quelques années plus tard, les fours de Baal devinrent les fours crématoires. »

« Comme on fait des histoires, ajoute-t-elle, à propos du bûcher de Jeanne d'Arc... Moi sans effort je pourrais les collectionner, les grands-mères, les toutes jeunes et vieilles qui ont flambé comme des cailles sur du bois empilé. Non je ne veux pas rompre avec cette part d'elles-mêmes qu'elles ont mise au nom d'une foi que je ne partage pas. Cette foi, j'ignore tout d'elle. Je ne me souviens d'aucun rite accompli par les miens... Mes ancêtres, je suis obligée de les inventer. Ils ont erré à travers l'Europe en laissant peu de traces... Etre juive pour moi, qu'est-ce que cela veut dire ? Cela veut dire être l'aboutissement d'une lignée qui n'a jamais accepté d'être renégate, même dans les circonstances les plus difficiles. Eh bien, devenir la première qui brise le lien, qui se conduit en lâche, est moins aisé qu'on ne l'imagine... Je n'ai pas saint Pierre parmi mes ancêtres, moi. »

Vingt ans après la guerre, Clara semble avoir retrouvé tout ce qu'elle pouvait croire à jamais perdu dans le sable et le sang de la mémoire juive : « Pendant la guerre il m'est apparu que ce n'était pas le hasard seul qui m'avait amenée à considérer comme essentielle cette exaltation de l'amour parental à la base des théories de Freud. Détenteurs d'une histoire millénaire, nous naissons porteurs d'un passé plus lourd que celui de ceux qui nous rejetteront... Une force y a placé l'espoir, l'attente. Israël se trouve ainsi relié à la fois à l'origine et à la fin des temps...

« Juive sans savoir pourquoi, j'imagine aujourd'hui l'être en en sachant les raisons profondes. J'ai vu s'ouvrir vers moi les bras des Juifs persans, ceux que les larmes d'Esther parvinrent à sauver. Ce qui me fait me sentir juive est l'immense cercle de tendresse qui fut un peu partout la seule affirmation de cette appartenance. Cependant je l'ai ressentie avec plus d'intensité le jour où pendant l'Occupation des amis ont exigé de moi de ne pas me déclarer comme membre de la race maudite. Ils m'ont sauvé la vie, mais je me révoltai contre un reniement de tous ceux qui m'avaient précédée et avaient jusqu'au bout, le plus souvent à travers d'immenses difficultés, conservé le lourd et merveilleux héritage qui leur avait été transmis...

« Cette histoire fixée par écrit qui s'est répandue dans le bassin méditerranéen, l'Europe entière et le monde, continue d'agir sous la forme d'une nouvelle projection vers l'avenir. Outre les particularités nées du souvenir et de l'espoir, les Juifs portaient celles acquises au cours de leur longue errance. Les Juifs, semblables à tous les groupes qui se déplacent, ont véhiculé en même temps que leurs modes de pensée et de vie ceux de leurs successifs entourages, tandis qu'eux-mêmes, maintenant une partie de leurs coutumes, adoptaient le plus clair des mœurs de ceux parmi lesquels ils vivaient. Ainsi ont-ils, chaque fois que l'occasion leur en fut donnée, participé pleinement aux activités de leurs contemporains : qu'on pense au siècle d'or espagnol, au rôle, au temps du romantisme allemand, des salons tenus par des Juives, et plus près de nous à l'épanouissement avant la Première Guerre mondiale de la culture austro-hongroise. De leur contribution au progrès, les Juifs d'Europe et d'Amérique ont aujourd'hui une conscience qu'ils n'avaient pas au Siècle des lumières, qui suffit à contrebalancer les persécutions, les humiliations, et cela plus fortement depuis la création d'Israël. »

Imaginons cette explosion de joie lorsque, le jour de la création de l'Etat d'Israël, Clara Malraux reçoit à minuit un coup de téléphone de Madaule :

— Clara, Clara, lui dit-il, la parole divine a été tenue.

— Le rêve millénaire, s'écrie Clara, a été tenu, les hommes de l'espérance vont avoir une patrie.

Cette terre d'Israël recevra Clara une bonne douzaine de fois et elle lui consacrera deux livres : *la Civilisation du kibboutz,* publié en 1964, et *Venus des quatre coins de la terre* qui date de 1971.

Dans *la Civilisation du kibboutz,* Clara Malraux nous raconte l'histoire de l'enracinement rural du Juif dans sa nouvelle-ancienne terre ; un enracinement collectif qui réalise dans le kibboutz « un mode de vie fraternel et égalitaire lequel est certainement un des plus vieux rêves de l'humanité », celui qui renoue sans doute à deux mille ans de distance avec les tentatives des Esséniens. Expérience qui se trouve également dans le sillage de toutes les utopies sociales du XIXe siècle : celle du socialisme d'Owen qui en 1825 transporta 800 hommes en Amérique, celle du phalanstère fouriériste d'une centaine de membres, et de Cabet qui en 1848 entraîna jusqu'au Texas une centaine d'admirateurs de son *Voyage en Icarie*.

Les premières implantations agricoles des Juifs en Israël datent des grands pogroms russes de la fin du XIXe siècle, et cette colonisation agricole va s'intensifier au long du XXe siècle pour donner enfin au nouvel Etat une structure agricole coopérative : « Le kibboutz étant composé à l'inverse des kolkhozes par des membres qui y adhèrent en toute liberté, il reste la seule réalisation du socialisme volontaire dans le monde. »

Cette institution acceptée est donc la méthode par laquelle le peuple juif a repris le contrôle de sa terre pour la mettre en valeur sous une forme communautaire. Ce fut on le sait un « non-échec exemplaire ». En ce qui concerne la mise en valeur d'un désert, cette modalité de production y a largement contribué. « Quand un homme a planté un arbre, affirme l'interlocuteur de Clara, il n'a pas existé vainement. » Ces pionniers voulaient créer une classe de paysans juifs et ceux auxquels on avait interdit pendant des siècles de tenir un outil ont finalement converti un désert en jardin. Ce « non-échec exemplaire... » n'est-il pas devenu aujourd'hui un souvenir passionnant.

Si le kibboutz a été le moyen de reconquérir le sol, l'Etat d'Israël a été de son côté le rendez-vous de ceux qui sont « venus des quatre coins de la terre ». Dans le livre d'interviews auquel elle a donné ce titre, Clara nous donne les portraits successifs d'un bon nombre de ceux qui sont issus de tous les horizons. C'est, entre autres, celui de Rosine, quarante-huit ans, ménagère qui aimerait se rapprocher des Arabes et qui pense « que mourir pour mourir, elle préfère mourir en tant que juive israélienne ». C'est aussi le témoignage émouvant d'une journaliste russe élevée à Paris « qui se sent tout de même française, car elle connaît mal la culture juive : mais ici elle est fière d'être juive. Les garçons jurent que Massada ne tombera plus... Un jour ils parviendront à entrer et nous égorgeront tous. Je préfère être égorgée ici à l'air libre, que de mourir dans une cave. Du reste, Israël est si petit qu'on ne peut pas écrire son nom sur la carte à l'intérieur de son territoire. C'est un pays où les mères apprennent leur langue maternelle de la bouche de leurs enfants et où les moins croyants ne peuvent vivre que s'ils ont une étincelle de foi. Tout de même, ajoute-t-elle, il faut que nous méritions ce pays et que nous en soyons dignes. »

De son côté un ingénieur architecte de quarante-cinq ans né à Riga, en Estonie, y était humilié. « Avant la création d'Israël, nous dit-il, les Russes disaient que le peuple juif n'est pas un peuple parce qu'il n'a pas de pays... On a toujours dit que les Juifs ne savaient qu'acheter et vendre... aujourd'hui ils montrent qu'ils n'avaient pas seulement une tête solide mais des mains solides. »

Face à ces premières vagues d'origine européenne qui apportent la civilisation avancée de notre continent, Clara nous montre ceux qui vivent là depuis toujours — et ces autres qui, venant d'Afrique, ou du Proche-Orient, constituent cette frange de population qui s'intègre plus malaisément dans un autre monde. Ce fonctionnaire dont la famille a quatre cents ans de présence à Jérusalem pense comme tant d'autres que les Juifs et les Arabes sont faits pour s'entendre ; il en est de même de cette ménagère de quarante ans, originaire de Constantine, qui sent « que les musulmans sont proches des Juifs ». Si cette compatriote employée de quarante-cinq ans ressent une intégration plus difficile, elle a cependant quitté l'Algérie lorsqu'un ami lui a dit : « Il est écrit que le moment vient dans chaque pays où les Juifs reçoivent un signal — on dirait que le destin du Juif est précisément de repartir sans cesse de zéro. Ça fait partie d'eux. »

Le dernier témoignage de ce kibboutznik yéménite tout en bas de l'échelle est peut-être le plus suggestif. « A Sanaa, dit-il, nous étions des sous-sujets du Sultan. Les émigrés du Yémen devant les premières persécutions prirent l'avion pour Lod. L'avion c'était un aigle vivant parce que la Bible avait annoncé que nous retournerions chez nous sur les ailes d'un grand oiseau. Débarqués à Lod, nous avons pris le car qu'un vieux a pris pour un autre avion qui ne pouvait pas décoller. » Au début, l'intégration du Yéménite dans un kibboutz fut difficile. Il se sentait inférieur. C'est fini. Et d'ajouter : « Il y a des Juifs d'Europe qui arrivent ici avec des rêves... Moi je ne peux pas avoir de regrets. Au Yémen j'étais un chien. Ici je suis un homme. »

Voici donc Clara qui, venue d'une vague conscience juive, a su pendant la guerre reconquérir son passé millénaire et découvrir en Israël à la fois l'incarnation paysanne et le réceptacle de la dignité. Mes réflexions jointes aux siennes me permettaient désormais de la questionner sur le « peuple des abeilles » au confluent de l'ouverture et de l'identité.

— Clara, il semble qu'au cours de votre vie vous vous êtes sentie de plus en plus juive, et que le judaïsme vous est apparu comme le porteur de pollen dans le monde, le véritable agent du mélange, une solution selon vous de l'avenir de l'humanité.

— Je suis juive, mais j'avoue que je me suis toujours

demandé ce que voulait dire être juive, pour quelqu'un qui comme moi n'avait pas la foi juive. N'ai-je pas été formée par le milieu ambiant, en l'occurrence la France, ignorant à peu près tout du judaïsme, en tout cas du judaïsme religieux, de la tradition juive, jusqu'au moment des persécutions nazies. Le pays d'origine pour moi c'est celui dont je partage pour l'essentiel l'héritage culturel. Je n'imagine même pas que j'aurais pu écrire dans une autre langue que le français. Même en Allemagne, je rêve en français. L'essentiel de ma culture, de mes connaissances, m'a été transmis en français. Il y a des marques qui ne s'effacent pas : je ne pourrais faire une addition dans une autre langue. J'ai ma voix dans le chœur national, mais je voudrais surtout participer au chœur européen, ce qui me paraît un enrichissement supérieur. Certes dans une nation il existe une communauté de destin, mais nous, les Juifs, nous avons été si souvent rejetés par notre entourage, par ceux-là même dont nous avions partagé les difficultés : il faut penser aux Juifs allemands : plusieurs de mes oncles avaient fait la première guerre dans l'armée allemande, l'un d'eux est mort à Dachau dans une chambre à gaz, comme une de mes tantes et deux de mes cousines... ce qui veut dire pour nous que le mot nation est dans un certain sens un mot bien ambigu. Dans ces conditions, que veut dire être juive, puisque ce que je porte en moi de juif a sans doute été complètement modifié par le milieu non juif qui m'entoure... Quelquefois je me dis : ce que j'ai hérité de mes aïeux, c'est de savoir que le monde existe dans toute sa variété.

— Cela veut-il dire, lui demandai-je, que vous faites partie d'une communauté qui, par nécessité, est condamnée au cours de l'Histoire à se déplacer sans arrêt pour éviter les persécutions successives ? Si vous êtes itinérants, vous n'êtes cependant pas des nomades.

— Le nomade est quelqu'un pour lequel l'état

normal est de se déplacer, alors que pour nous l'état normal c'est d'aspirer à nous fixer. Le nomadisme nous a été imposé, nous ne l'avons pas choisi, et c'est très vite une errance qui prend une allure de fixité. Qu'on nous le permette et nous nous attachons aussitôt à notre pays d'accueil dont nous acceptons la culture tout en maintenant une partie de celle qui nous est propre. Mais cette culture n'est pas étrangère à la culture européenne dès son origine, puisque celle-ci découle en partie de celle-là. Il se fait ainsi un échange car ce que nous avons acquis au cours de nos errances, nous le transmettons en partie à notre entourage. C'est dans ce sens que nous sommes capables de jouer culturellement le rôle des abeilles dans la nature. Nous transportons le pollen d'un lieu à l'autre, et nous nourrissons aussi ce pollen.

— Vous êtes au fond des déracinés qui aspirent à s'enraciner partout.

— A ce détail près qu'au cours de l'Histoire on ne nous permet que rarement un enracinement de longue durée.

— L'enracinement et l'ouverture ?

— Oui, le fait d'être juif implique, je crois, l'errance et l'ouverture, mais justifie pleinement le désir de retrouver enfin une patrie d'où on ne soit pas rejeté.

— Pourtant votre Dieu, le nôtre aussi après tout, est bien dès l'origine celui dont la voix clame dans le désert du Sinaï au moment de l'Exode et de Mésopotamie dans la période perse. Le désert nu ne suscite-t-il pas la silhouette du dieu unique...

— Cela est vrai. Lorsque je me suis trouvée avec André dans le désert de Perse, je me suis écriée : « Si cela continue, je vais inventer Dieu. » Là j'ai eu l'impression de me retrouver, mais peut-être que si je n'avais pas su que ceux qu'on m'attribue comme ancêtres ont traversé autrefois le désert, je n'aurais pas eu cette association d'idées.

— Vous avez tout de même été les créateurs du dieu unique, et votre identité historique a toujours été de le garder, de le protéger contre les assauts d'un polythéisme millénaire.

— La question reste pourtant de savoir si ces inventeurs de Dieu étaient vraiment nos ancêtres. Vous savez peut-être que nombre de Juifs d'Occident sont des convertis et que par exemple les Khazars, originaires de la mer Caspienne, ne sont pas des sémites, mais eux-mêmes des convertis. J'évoque à cette occasion l'admirable histoire de la Kahena, une histoire trop peu connue : Le père de la Kahena était un chef de tribu qui s'était converti au judaïsme une cinquantaine d'années avant l'arrivée des Arabes musulmans, convertisseurs eux aussi. Le père de la Kahena n'ayant pas de fils, c'est elle qui est devenue chef de la tribu et s'est battue contre les Arabes. Après vingt ans de lutte la Kahena fut vaincue. Alors elle envoya ses deux fils se rallier aux Arabes en leur conseillant d'adopter leur religion. Quant à elle, ramassant seule le bois nécessaire à son bûcher, elle se jeta de son plein gré dans les flammes qu'elle avait elle-même allumées.

« Souvent pourtant dans l'Histoire, il y eut des périodes de tolérance et les religions se sont côtoyées. Je pense aux Juifs et aux musulmans à certaines époques, au superbe œcuménisme de Cordoue. Aux Indes, sectes et religions foisonnent. Il y a dans l'Occidental une espèce d'intolérance en ce qui concerne la foi. C'est même un signe particulier de l'Occident.

— Il est vrai, lui dis-je, que, comme nous l'enseigne la merveilleuse et dramatique *Histoire du peuple juif* de Cecil Roth, après les temps obscurs où la diaspora est plus ou moins tolérée — sous Charlemagne qui les accepte, les Juifs contrôlent le commerce occidental, de l'Espagne au Danube —, les temps des croisades excitèrent les passions, car les chefs des croisés avaient fait le vœu de venger le sang du Christ dans le sang des Juifs. En 1096, Godefroi de Bouillon extermine à Jérusalem tous les Juifs survivants. Ils furent enfermés dans l'une de leurs synagogues et brûlés vifs. C'est de cette époque que viennent tous les fantasmes antijuifs, d'autant que, interdits dans la plupart des professions rurales ou militaires, ils sont souvent médecins — on les accuse de charlatanisme ou de pacte avec le diable — ou banquiers, ce qui provoque sans cesse la jalousie du peuple et la menace de confiscation des rois endettés. Ce fut vraiment l'origine de toutes les atrocités qui vont s'amplifier par la suite. A partir de cette époque, les Juifs, justement par leur réussite, leur ouverture d'esprit, leur faculté d'adaptation, ont suscité la jalousie de leur entourage. On se dirigeait vers eux en leur faisant jouer le rôle de bouc émissaire. « C'est la faute aux Juifs » retentit comme un aveu d'impuissance dans toute l'histoire de l'Occident.

— On remarque les Juifs qui ont réussi, me répondit-elle, ceux qui sont montés vers les sommets du pouvoir ou de l'esprit — on le leur reproche. Pourtant, au cours de l'Histoire comme aujourd'hui, une immense masse de Juifs ont été de simples petits artisans. Ils ont survécu comme ils ont pu, maintenant contre vents et marées l'essentiel de leurs traditions. En ce qui me concerne, j'ai été élevée en ignorant qu'il y avait des Juifs au Maghreb, et c'est récemment que j'ai appris la présence de petites communautés juives aux Indes. J'ai connu à Paris une jeune Juive noire de Bombay bien insérée, originale, mais aujourd'hui les jeunes ont préféré se rendre en Israël pour ne plus se sentir minoritaires ou différents. Il y avait aussi des Juifs au Liban qui ont tenu un véritable rôle d'abeilles, et l'Alliance israélite française a joué un rôle essentiel, formant en liaison avec l'Europe un réseau culturel français dans le Proche-Orient. En Irak comme en Iran, cette Alliance avait des écoles et jouissait d'un prestige extraordinaire : au bazar, à Ispahan, nous trouvions toujours des gamins juifs parlant français pour nous dépanner. Bien entendu, après la dernière guerre, les nouveaux régimes se sont empressés de détruire l'enseignement de l'Alliance française.

— Vous parlez de ces communautés modestes, souvent repliées sur elles-mêmes, mais dans notre Occident, les Juifs par rapport à leur nombre nous ont apporté d'innombrables philosophes, une pléiade de savants, les capitalistes les plus marquants, les révolutionnaires les plus importants. Il s'agit — en tout cas pour eux qui comme moi regardent cet apport — d'une participation éblouissante, presque primordiale, au patrimoine culturel de l'Occident. « Peuple d'élite, sûr de lui et dominateur » contestez-vous cette phrase prononcée par de Gaulle ?

— Cette phrase était pour le moins d'une rare inadéquation. Les Juifs ont découvert dans l'extrême difficulté de vivre — et de survivre — un moyen de développer la partie la plus efficace d'eux-mêmes. Ils sont arrivés au XIXe siècle, après mille difficultés, à des situations de premier plan. Ils avaient passé par tant de « tamis » divers que les survivants étaient ceux qui étaient animés d'une grande force de résistance, d'un vouloir vivre, d'une espèce d'affûtage qui permet de subsister. Devant de pareilles difficultés, on gagne ou on disparaît.

— Il s'agit d'une sorte de sélection ?

— Pas tout à fait naturelle, mais qui finit bien par obtenir les mêmes résultats. Ceux qui étaient capables de s'adapter survivaient. Et l'adaptation est déjà un moyen de participation, voire d'organisation, de cette justesse de mise au point dont ils ont pu faire usage par la suite, notamment dans le domaine de la science.

— De la modernité ?

— Certainement. Mais les Juifs portent également en eux, bien que leur majorité ne soit pas d'ascendance orientale, une faculté poétique propre à l'Orient. Peut-être que ce rêve d'une appartenance à un pays mythique, celui de la venue du sauveur, d'un roi, a développé en eux un profond sens poétique qui contre-balance ce sens du réel aiguisé par le danger.

En somme, faute d'un territoire réel, ils se sont constitué un territoire irréel. Ce territoire ils l'ont trouvé à la fois dans la famille et surtout dans les livres sacrés : ils sont le peuple du Livre.

La vie familiale, l'instinct de défense familial, leur a permis de survivre à travers une continuité culturelle ancestrale. Il existe une racine commune entre le christianisme et le judaïsme. Même si les chrétiens nous rejettent, nous massacrent, nous demeurons l'ancêtre. La haine qu'on a pour les Juifs est du reste en grande partie la haine du Père au sens freudien du terme... La présence du Juif dans l'antisémitisme n'est pas à proprement parler charnelle, elle est en soi pour les chrétiens et les musulmans ; mythique et concurrentielle : le dieu des Juifs est d'abord qu'on le veuille ou non le dieu des Juifs dont la présence est si intense pour les adeptes de Port-Royal et dans l'*Athalie* de Racine : « Et n'oubliez jamais que les rois dans le ciel ont un juge sévère. » En fait, ce lien avec Dieu, avec le passé — peut-être imaginaire — n'a jamais été rompu pour les Juifs. Figurez-vous que le père d'une de mes amies, en pleine Occupation, dans une gare à la sortie de laquelle on voyait un contrôle serré, alors que nous n'étions pas en situation régulière, m'a avoué subitement : « Vous savez, j'ai encore dans ma poche la clé de ma maison de Grenade. » Ainsi cet homme portait sur lui la clé d'une maison qui n'existait plus depuis des siècles. Il portait ses racines dans sa poche et savait que malgré les persécutions nous étions toujours les témoins...

« Du reste dans ces racines vous n'avez pas seulement la clé de la maison ancestrale, mais aussi la référence permanente du Livre saint. Ce livre est la raison d'être, le bien en soi. Mais il s'agit d'un bien collectif, tandis que la clé est un bien personnel. Cela veut dire : « ils persécutent ma famille depuis des siècles, ils sont en train de me guetter à la sortie de la gare pour me détruire, mais je garde ma clé dans ma poche et d'une façon ou d'une autre, je durerai. Je ne suis pas né d'hier. J'ai déjà sous la forme de mes ancêtres surmonté bien des obstacles. Je surmonterai peut-être encore celui-là, sinon on me continuera et quelqu'un, de façon concrète ou symbolique, portera toujours dans sa poche la clé de la maison de Grenade »... Pour ce qui est du Livre, je pensais lorsque j'étais petite fille que d'autres l'avaient accepté mais que nous, nous l'avions reçu. Il nous a été remis et les autres sont heureux que nous ne l'ayons pas mis sous clé, que nous le pártagions avec eux.

« Pourtant derrière l'adaptation, l'art de se défendre contre l'adversité, la clé dans la poche et le Livre jalousement conservé, le vrai territoire est symbolisé par la fameuse phrase « L'an prochain à Jérusalem ». Lorsqu'une communauté vit d'un tel espoir pendant des siècles, des millénaires, c'est un phénomène essentiel. Certes Jérusalem est une ville sainte pour trois communautés. Mais deux d'entre elles, avec Rome et La Mecque, possèdent d'autres villes pour le moins aussi saintes. Pourtant elle est la seule ville sainte, ce qui démontre l'efficacité des symboles : quand Israël aura repris Jérusalem dans sa plénitude, on sera peut-être plus près, et pas seulement les Juifs, les autres aussi, de la grande libération. Oui, les Juifs ont répété avec entêtement depuis des siècles cette même phrase « L'an prochain à Jérusalem ». C'est là qu'ils voulaient aller et pas ailleurs.

— Et maintenant que la Jérusalem est incarnée, que vous possédez un territoire réel et non plus imaginaire, Israël qui dans sa diaspora était un peuple original n'est-il pas menacé — on le sent dans vos deux livres sur ce sujet — de devenir une nation comme les autres ?

— C'est une incarnation, la réalisation d'un rêve avec ses déceptions. Pourtant regardez ce que nous avons fait en Israël : on avait dit que les Juifs n'étaient pas des agriculteurs, et on voit ce qu'ils ont fait d'Israël. Ils ont transformé un désert en jardin. Là encore comme d'habitude ils ont fait preuve d'une grande faculté d'adaptation. Dans les kibboutz, ils ont tâtonné... Mes amis du kibbouts d'Ein Hâhoresch n'avaient aucune formation spéciale avant d'aller en Israël. Il s'agissait de Juifs polonais dont les parents étaient partis en Belgique au moment des persécutions de la Pologne. Ils avaient environ quinze ans lorsqu'ils se sont rendus en Israël, avant même que l'Etat soit fondé. Ils ont vraiment voulu comprendre comment une terre aride pourrait devenir une terre fertile. Là encore ils ont eu cette faculté d'adaptation que vous leur connaissez comme essentielle. Cela du reste n'a pas empêché Israël d'avoir une remarquable activité culturelle et une excellente Université.

— Pourtant, cette Jérusalem incarnée délivrée après avoir été rêvée pendant des millénaires n'est-elle pas aujourd'hui quelque peu enchaînée ?

— C'est un rêve réalisé dont on n'est pas toujours sûr. Que ce mythe ait pu s'incarner et devenir réalité semblait totalement impossible. Qu'il se soit néanmoins incarné — ce qui n'implique pas, pas encore, l'image de la perfection — est si je puis dire « une irréalité réelle ». Aujourd'hui ce pays est terriblement menacé. S'il devait un jour retomber dans les mains des Arabes, il ne resterait plus un Juif vivant dans ce pays qui deviendrait un immense cimetière. Ce serait une honte pour l'humanité tout entière que je ne veux même pas envisager. Du reste, je crois qu'on retrouve dans tout le comportement envers Israël la haine pour celui dont la tradition est la plus ancienne, et dont les autres ont hérité du message spirituel et intellectuel. C'est insupportable d'être né d'autre chose que de soi-même.

— C'est encore la haine contre le père dont vous parliez tout à l'heure.

— On nous en veut sans doute de cette permanence culturelle. Qu'un peuple ait pu se transporter d'un bout à l'autre du monde méditerranéen n'est pas sans exemple... Ce qui rend peut-être unique la migration des Juifs est qu'ils réussirent à emporter avec eux non seulement leur religion, mais encore leur civilisation. Garder intacte une vie intellectuelle lorsqu'elle n'a plus de racines dans le sol et n'est même plus basée sur une langue vivante, la transporter de pays en pays et la développer harmonieusement malgré la succession des milieux divers est une tâche délicate. Que les Juifs en soient triomphalement venus à bout est un phénomène qui les distingue de tous les autres peuples de l'histoire.

« Les Juifs sont un témoignage de la civilisation méditerranéenne ouverte sur le monde entier et pour l'essentiel — j'y reviens — ils se caractérisent par leur faculté d'adaptation, sans laquelle ils seraient déjà disparus. Et ils ont appris à leurs enfants comment on peut à la fois s'adapter et se souvenir, rester soi-même et accepter de l'entourage ce qu'il peut avoir de fécondant. Voyez, c'est cela pour moi, être juive.

— C'est en somme un message de résistance presque physique et d'ouverture culturelle. Car le peuple juif est un peuple culturel par excellence.

— Déjà avant la dispersion la lecture était fort répandue, et le peuple juif dès le départ est le peuple le moins analphabète du monde. Toute notre histoire est une sorte de valorisation de la culture, chaque famille tenait à être représentée par un homme de culture : cela pouvait être un rabbin, un religieux, un médecin. Même aux pires époques de la persécution, le rabbin ou le médecin étaient là, car on acceptait même en ce temps-là que les Juifs soient médecins. Il y a peu de familles juives qui n'aient un de leurs membres homme de science religieuse, ou homme de science tout court. Dans ma propre famille qui était tout de même une famille bourgeoise aisée, il y avait quatre garçons : trois d'entre eux sont devenus des hommes d'affaires, des chefs de grandes entreprises internationales. Quant au quatrième, il était physicien : il mit des années à gagner sa vie et sa famille considérait comme naturel que celui qui ne s'adonnait pas aux métiers de l'argent soit aidé par elle. Il était l'homme de science sans qu'on lui demandât de manifester cette condition par des avantages matériels. Il en fut de même pour un de mes amis d'origine marocaine qui m'a avoué : « Je suis normalien. Ma famille a trouvé légitime que je n'aspire pas à gagner ma vie, qu'elle m'entretienne jusqu'au moment où par une espèce de miracle mes connaissances se sont transformées en facilités matérielles. »

— Comment, aujourd'hui, définissez-vous votre propre culture ?

— Quand je regarde tout cela de près, je constate que je suis davantage considérée comme juive, et que je me considère encore plus comme juive, que je n'ai de culture juive. En revanche j'ai une culture française traditionnelle, une culture allemande transmise par ma mère, une culture née des curiosités qui se sont éveillées sur ce que je savais déjà. En somme, si ma culture française et ma culture allemande sont de première main, ma culture juive est de seconde main. Elle est constituée en grande partie de rêve et de romanesque... C'est une tradition revue consciemment et inconsciemment par ceux qui m'entouraient : somme toute, je suis le résultat d'une éducation française, d'une forte influence allemande et d'une certaine faculté d'adaptation due aux successives migrations des miens. En ce qui concerne la France, par exemple, j'ai été élevée dans une école catholique et cette école m'a surtout donné conscience de l'importance de notre part au sein du christianisme. Une conscience non dénuée d'un certain orgueil : je pensais que le monde occidental avait été fortement marqué par nous et que nous étions les seuls témoins d'un passé millénaire.

— Ce que nous apprenions vous l'aviez vous-même vécu ? C'était cela votre orgueil ?

— Nous possédons en Europe un code moral en grande partie issu de la Bible et sommes les témoins de la plus vieille culture encore vivante. On ne connaît pas de peuple qui ait gardé aussi longtemps ses traditions, ses références, et soit resté aussi sentimentalement attaché au sol où ces références et ces traditions sont nées. Elles sont si je puis dire restées accrochées aux pierres du chemin. Par ailleurs, allant bon gré, mal gré d'un pays à l'autre, nous avons eu une faculté de nous adapter à ce que chaque époque apportait de nouveau, et le XXe siècle a apporté plus de nouveautés qu'à aucune époque dont nous avons connaissance. Nous sommes à la fois la communauté de la permanence et de l'adaptation. Ce sont là les caractéristiques essentielles. Moi j'accepte pleinement d'être juive puisque cette acceptation implique tant de difficultés. Si être juif signifiait que je suis une princesse, j'hésiterais à le dire. Mais puisque j'appartiens à cette communauté qui pour une grande part n'est pas triomphante, je n'ai pas l'ombre d'une hésitation.

5

L'ouverture sur le monde

« Clara fait partie du peuple des abeilles, celui qui au cours de l'histoire a transporté partout le pollen. C'est en ce sens qu'elle veut être l'apôtre du mélange physique et culturel le plus absolu d'une pluriracialité la plus complète dans le monde.

Le symbole originel est sans doute cette petite fille noire, l'autre la différente, la jumelle suscitée par l'imagination de Clara dans ses mémoires de l'enfance.

« Comme j'aimerais, dit-elle, être deux en une seule... Sans doute est-ce pour répondre à ce désir qu'est née, je ne sais quand... la petite fille noire, non pas soudée à moi, mais mystérieusement liée à moi... ; cette petite fille noire habite de l'autre côté de la terre, aux antipodes, ce lieu qu'on atteindrait en creusant avec acharnement... La plante de ses pieds, si on aplatissait ce globe comme une galette, toucherait la plante des miens, car elle marche la tête en bas : néanmoins, elle est exactement de ma taille, son visage est le reflet du mien, nos gestes sont identiques, mais ce sont les miens qui commandent les siens car je suis celle qui a l'initiative... elle porte les mêmes robes que moi et son humeur naît de la mienne... Elle est tellement plus qu'une sœur distante que je ne m'étonne pas de la voir soudain apparaître devant moi. Qu'elle existe me tient chaud au cœur. Le plus souvent c'est bon de voir au pluriel, d'être deux feuilles sur une même tige; d'autres fois la responsabilité qui m'incombe m'écrase. Je pense nous... je suis nous... je vis mêlée à une création, exaltée par elle, angoissée par elle qui s'affirme ma victime et mon juge... Que l'autre ait un visage fraternel, mon double obscur me l'a appris très jeune. Jamais le cordon ombilical avec une invisible compagne ne sera coupé au point aussi que je ne regrette une communion qu'aucun humain ne pourrait me donner, mais que j'ai cru éprouver de nouveau quand, mêlée à moi par toutes ses fonctions, bercée par mon pays, complice et cependant maîtresse de sa propre vie, ma fille habitait en moi... »

Sans doute cette image enfantine a-t-elle été le support de toute sa vie dans ce désir éternel de découvrir une perpétuelle gémellité dans le monde. La petite noire ne manifeste-t-elle pas son désir de voir un jour toutes les races et les esprits intimement mélangés sur la planète tout entière.

— Les Juifs, lui demandai-je, ont été les grands agents du métissage. En plus des particularités nées du souvenir et de l'espoir, vous m'avez dit qu'ils portaient celles acquises au cours de leur longue errance : tout nomade transmet aux terres où il passe des marques de sa culture propre et de celles des pays qu'il a déjà parcourus; ainsi joue-t-il, mais pacifiquement, le rôle souvent tenu par les guerres ou par les invasions.

— Le fait même que nous ayons eu une patrie et que nous l'ayons perdue, et que nous nous soyons frottés aux autres peuples, nous rend le peuple des abeilles, le peuple qui transporte le pollen et s'en nourrit à la fois. Nous avons été à l'origine de constants métissages.

— Pour vous, le mélange des races et des idées est la chance de l'humanité. Elle est déjà du reste largement bariolée.

— Dès le début, les peuples nomades ont rencontré

les peuples sédentaires et ce mélange a toujours été salutaire. A l'inverse certaines tribus africaines sont demeurées coupées de tout contact extérieur depuis les origines. Le non-mélange aboutit forcément à la stagnation. Je pense que le contact avec les autres provoque l'émulation, et que la nouveauté jaillit de la confrontation. Toutes les grandes civilisations sont nées de la confrontation ; par contre le sur place est le repli et le conservatisme à l'état pur. Du reste, il n'y a pas de race à l'état pur, comme le pensait l'idéologie nazie : Cette idée de race pure est née dans le pays le plus métissé d'Europe, ce grand lieu de passage de tous les envahisseurs venus d'Asie, du nord et du midi. C'était une idée à la fois insensée et saugrenue.

A l'inverse, vous vous rappelez qu'Alexandre fit épouser dans un grand mariage collectif les princesses locales et ses généraux grecs. Nous avons rapporté d'Afghanistan ces têtes gréco-bouddhiques qui sont l'expression même d'un « métissage » artistique. Alexandre disparu, ses généraux ont fait venir des artistes de Grèce, qui ont formé les artistes locaux : le résultat est une sculpture qui est un véritable mélange d'Orient et d'Occident : regardez cette statue que nous avons devant nous : elle a des traits qui sont presque grecs, mais avec ces grands yeux et ces sourcils qui rejoignent le nez, dont le caractère est d'Asie centrale. Il y a quelque chose de très curieux dans ces têtes dont certaines ressemblent aux figures gothiques, et dont les sourires sont voisins de ceux de Reims. On dirait que ces formes grecques toutes pénétrées d'un sentiment religieux donnent des visages très proches les uns des autres. Voilà vraiment ce que j'appelle le métissage culturel dans une réussite spectaculaire...

« Quant à moi je suis l'expression même de ce métissage culturel car j'ai été, grâce au ciel, bilingue dès mes origines. Bien que les références françaises me soient plus naturelles, aujourd'hui je possède correctement quatre langues. J'ai toujours souhaité, en apprenant une langue, me situer dans un rapport avec un maximum de cultures et d'êtres humains. J'ai réalisé beaucoup de traductions de livres dans ma vie : c'est une excellente façon de transmettre la pensée d'un autre, de la transcrire, de voir comment elle s'articule, ce qu'elle doit en particulier à son époque. Il y a dans la traduction un contact profondément enrichissant. J'ai été prise dans la pensée des écrivains que j'ai traduits, ce qui m'a beaucoup enrichie. Savoir lire aussi dans le texte de base est d'un intérêt essentiel. Je sais bien qu'il y a d'excellentes traductions de Goethe, mais lire *Faust* dans le texte original c'est autre chose que de le lire dans le texte de Nerval, qui est très beau mais n'a pas le même rythme. Car la langue c'est un véritable rythme et apprendre une langue c'est apprendre un autre rythme. A l'origine de tous les arts il y a le rythme qui prend sa source dans le corps humain : la preuve en est que le rythme féminin n'est pas du tout le même que celui de l'homme : c'est en ce sens qu'il y aura un jour une littérature féminine encore plus différenciée.

— Cette polyphonie culturelle est selon vous indissociable du phénomène multiracial ?

— J'ai rencontré une petite fille métisse brésilienne élevée par une simple famille d'agriculteurs français. Aujourd'hui c'est une enfant d'une intelligence extraordinaire et superbement douée sur le plan artistique et poétique. J'ai une autre amie — vous la connaissez — une métisse canadienne-indienne-bretonne, qui est aussi particulièrement douée. Elle a commencé à peindre sans idée préconçue et c'est avec le temps qu'elle a trouvé sa voie, et l'influence indienne est très nettement apparue dans ce qu'elle fait. Vraiment je pense que c'est de ce mélange de cultures, de contacts, de connaissances que nous pouvons aujourd'hui attendre quelque chose... Il est bien rare que le sédentaire ait donné quelque chose sans la présence excitante d'une autre culture. Il y a là quelque chose comme le silex qui donne l'étincelle quand on le frotte. Il faut qu'à un moment donné naisse par le contact la petite flamme qui permet de créer quelque chose.

— Il n'y a en ce sens qu'une seule humanité, mais il y a aussi de multiples territoires ?

— Personnellement je suis juive et je ne suis pas une personne du territoire.

— Vous êtes surtout une passionnée de voyages. Peu de gens ont autant voyagé que vous, et surtout bien voyagé.

— J'ai voyagé toute ma vie et j'ai aspiré à voyager toute ma vie. Jules Laforgue pensait que le plus grand châtiment qui pouvait nous atteindre « c'était de mourir sans avoir visité sa planète ». Pour moi, mon idée était qu'il fallait aller d'abord le plus loin possible pendant que j'étais jeune. Avec André, à cette époque, nous étions aussi fous l'un que l'autre. Nous partions vraiment sans savoir comment nous allions revenir. En Asie centrale, nous étions les seuls à nous trouver sur certaines routes, et lorsque nous sommes arrivés à Kaboul j'étais la seconde ou la troisième femme blanche à débarquer dans ce lieu.

— Aujourd'hui les voyages ne sont-ils pas devenus bien faciles ?

— Il faut toujours quitter les grandes routes. Dans tous les domaines il faut savoir sortir du droit chemin... Du reste, pour moi le voyage ce n'était pas seulement un contact avec d'autres cultures mais avec d'autres êtres humains. En Perse, où nous sommes allés trois années de suite, nous retrouvions ceux que nous étions arrivés à aimer. Voyager ce n'est pas seulement se déplacer, c'est surtout nouer des contacts avec les autres. La Perse a été pour moi en ce sens une des plus grandes révélations : c'était certainement la terre intermédiaire, le pays des invasions, le lien entre l'Orient et l'Occident. Un jour, dans un marché aux puces à Ispahan, j'ai trouvé une pièce d'argent à l'effigie d'Alexandre le Grand : j'étais subitement reliée à cette nuit extraordinaire où les mille officiers d'Alexandre ont épousé mille princesses persanes. Que l'empereur ait voulu cela, qu'il ait compris qu'on ne pouvait conquérir un pays qu'en acceptant cette union, est admirable sur le plan du symbole. Ce jour-là l'Europe et l'Asie se sont épousées : Ce fut la grande nuit du métissage ! »

Puisque nous avons vu que juive par son identité, Clara est citoyenne du monde par son désir d'ouverture et sa passion de connaître la planète tout entière, dans sa richesse et sa diversité, nous avons retenu pour finir trois de ses voyages : le premier, Java-Bali, nous vaut un beau livre illustré sur la patrie du « métissage ». Le second sera dans les dernières années de sa vie ce voyage à Magdebourg, au creux de cette enfance qu'elle cherchait à exorciser. Le dernier fut cette conversation qui, quelques jours avant sa mort, nous amenait à évoquer ce grand et dernier voyage — entrebâillant cette porte que ni moi ni elle ne pouvions imaginer qu'elle était sur le point de traverser...

S'il est un pays que Clara devait aimer, c'est bien Java la douce et la multiple, qu'elle nous décrit en 1963 dans cet album comme le pays de « l'aboutissement ».

« Voilà trente ans, écrit-elle dans sa préface, que j'ai lié amitié avec un jeune Hollandais, Edy Dupeyron, né à Java où sa famille vivait depuis trois siècles. Avant d'être ruiné par l'insouciance d'une mère créole, il m'avait, un peu comme on fait avec un enfant, donné une île dans le Pacifique. J'aurais pu aller vivre dans cette île que j'ai possédée sans que jamais aucun papier n'en témoignât. » Clara, après tant de secousses, d'affrontements et de luttes, se dirige en 1962 vers ces îles qu'habite le peuple le plus doux du monde, nourri des apports successifs des religions brahmaniste, bouddhiste, islamique, qui se marient les unes les autres sans détruire un animisme sous-jacent. Ainsi Clara se découvrit-elle aussitôt indonésienne religieusement parlant, elle en qui cohabitèrent si longtemps, à sa plus grande joie, le judaïsme, le catholicisme, le protestantisme,... et la théosophie.

N'est-elle pas venue tout exprès dans le paradis du mélange, du syncrétisme et de l'adaptation ? Elle y aime à la fois ce merveilleux fouillis de Djakarta, ces fantômes que l'on rencontre partout et qu'on éloigne en plantant au sommet des édifices achevés une tête de buffle ornée de fleurs, ces marionnettes de cuir au pays des fabuleuses épices. Elle y admire l' « artichaut géant » de Borobudur, et préfère aux monuments de la Grèce ce labyrinthe où on peut se perdre, « cette sorte de galerie kafkaïenne qui peut-être aboutit après de longues errances jusqu'à Dieu ». Ici, dans la nature et les esprits tout s'emmêle, et la liane est aussi vigoureuse que son appui qui est aussi souple qu'elle. Enfin, elle se réjouit de l'étonnante aisance que les hommes et les femmes ont dans leurs rapports, ainsi que de l'importance féminine grandissante dans l'activité publique et privée de ce pays. Elle saute ensuite vers Bali « cette île où tout est rite, mais d'accueil à la vie, où les temples envahissent tout, où la mort est joyeuse dans le foisonnement religieux jusqu'à la joie du bûcher ». Ce haut lieu du mélange n'est-il pas le résultat d'une heureuse expérience divine, comme le raconte si joliment cette légende : « Dieu s'y est repris trois fois avant de réussir les humains : la première fois, il les a trop cuits et c'étaient les nègres ; la seconde fois, il ne les a pas assez cuits, et c'étaient les blancs. A la troisième fournée enfin il a obtenu les Indonésiens ! »

De ce beau voyage au pays de la douceur, du mélange et de la variété, Clara retirera une certaine image multiforme de la mort, et, au confluent de ses pérégrinations terrestres, une belle apologie du métissage :

« Souvent nous parlions ensemble de la mort et un soir Groethuysen me dit en me montrant un fétiche africain : “ Et après la mort nous nous réveillons devant celui-là. ” Quant à moi, ajoute-t-elle, je viens parfois à penser que si je me réveillais devant les dieux multiples de Bali, je n'en serais qu'à moitié étonnée. »

Puis elle conclut : « C'est à travers Loti, puis à travers Larbaud, Cendrars et Morand que ma génération a précisé son goût du voyage. Le premier nous a appris que les paysages meurent comme les hommes ; les trois autres que la terre est un gros fruit bosselé dont les particularités apparaissent seulement dans une sorte de carambolage des lieux. L'un jouait avec le temps, les autres avec l'espace. Et maintenant nous nous trouvons devant un monde tendu vers l'avenir. Loti croyait que le pittoresque, la beauté même, n'existaient que dans le passé. Ne seraient-ils pas aujourd'hui dans les formes que prend l'adaptation de tant de peuples à une civilisation que nous leur avons proposée, imposée : le jeu est passionnant, que garderont-ils de ce qu'ils ont eux-mêmes sécrété, quel mélange vont-ils faire de ce qui leur appartient et de ce qu'ils veulent acquérir ? L'originalité est maintenant dans les dosages : le cocktail indonésien est sûrement un des plus savoureux qui soient ! »

En 1981 Clara s'en est allée avec une équipe de cinéastes vers Magdebourg, le paradis de son enfance, comme si elle avait voulu revoir son début avant de pouvoir regarder sa propre fin. Et lorsque je voulus après sa mort écouter puis faire décrypter les bandes qui relataient ce pèlerinage douloureux, elles étaient presque complètement inaudibles, comme si ce passé enfoui, éclaté, avait voulu brouiller les pistes d'une enquête où le souvenir avait refusé de se laisser prendre.

— Alors, lui demandai-je au lendemain de son retour, où je la trouvai plus fatiguée que d'habitude, vous revenez d'Allemagne, de la dangereuse Allemagne ?

— L'Allemagne ne m'a jamais paru un pays raisonnable, mais un pays séduisant, peut-être à cause de sa grandeur, de l'immensité de ses plaines. J'allais voir Magdebourg mais aussi la grande plaine qui est pour moi l'appel du large, ces terres de limites sont aussi des terres de communication... Eh bien, la grande plaine d'or de mon enfance n'a pas changé. Elle est comme elle était, avec ses touffes de bouleaux, ses champs à perte de vue et ses horizons du tout est possible.

— C'est un pays où l'être humain n'arrive guère à maîtriser ses rêves.

— Un pays où la limite entre le rêve et la réalité n'est pas nette : le pays des grandes invasions, du grand tumulte, du grand brassage.

— Et vous voilà bientôt à Magdebourg sur l'Elbe.

— Partis de Berlin-Ouest, après avoir été fouillés, nous nous sommes retrouvés à Berlin-Est, puis à cent kilomètres de là nous avons atteint Magdebourg, où j'ai subitement retrouvé l'impression de la mort. En fait, la ville entière a été détruite, car elle était sur une boucle de l'Elbe et les Russes ont dû mettre huit jours pour traverser le fleuve... Ceci dit, l'aspect de la ville est très curieux aujourd'hui : une partie a été rebâtie et l'autre est restée à l'état de terrain vague. Çà et là on a fait de petits squares, sans que je sache vraiment où on veut en venir. Seule la cathédrale éventrée demeure, et la population vit dans une sécurité qui est faite de crainte.

« Une des premières choses que j'ai demandée, c'est de me faire conduire au cimetière juif. J'y ai été reçue par un homme à calotte, lequel m'a affirmé qu'il demeurait une dizaine de survivants juifs dans le voisinage. Le cimetière lui-même est encore très bien entretenu : là, c'est devant les tombes de mes grands-parents que j'ai mesuré l'irréalité de la chose : le grand-père de ma grand-mère était mort avant la Révolution et ma famille maternelle vivait dans la région depuis le XVIIe siècle. Tout à coup j'ai senti ce qui me séparait d'eux, et j'ai pensé que ces tombes de mes grands-parents étaient faites pour recevoir des enfants. Or ils étaient là dans ce cimetière sans aucune descendance.

— Et vous avez retrouvé votre maison ?

— Je n'ai rien retrouvé. Mes grands-parents habitaient dans une rue près de la gare et l'emplacement est une espèce de terrain vague. Ensuite, ils ont habité une artère que nous avons essayé de retrouver. Celui qui nous servait de guide a dit : « Est-ce que ça n'est pas ici ? » « Je ne sais pas. » A ce moment un homme s'est avancé vers moi et s'est écrié : « Mais c'est Clara. » J'étais émue et lui ai demandé : « Qui êtes-vous ? » Il m'a répondu : « Je suis Jean », et je lui ai dit, étant donné ses traits : « Je croyais que vous étiez votre frère aîné. » « Mon frère aîné est mort ». Ce frère était autrefois mon meilleur ami qui habitait juste en face de chez nous. Voilà quelle fut ma reprise de contact physique avec le passé : on croit que le passé est mort et puis tout à coup il apparaît devant soi en chair et en os !

« Non, je n'ai jamais retrouvé ce lieu où j'ai passé

mes vacances avec mes parents, ni même la rue où la maison se trouvait. Mais j'ai revu la place de l'hôtel de ville. Dans un magasin, on m'a proposé le gâteau de mon enfance. J'ai retrouvé le stand de vente de bonbons et d'articles divers. J'étais émue. Je me revoyais avec ma grand-mère, si fière, qui disait : « Ça, c'est ma petite-fille de Paris ! » J'avais un chapeau de toile de Jouy avec des fleurs qui attirait l'attention à Magdebourg, une ville de province ! Je revoyais aussi mon grand-père qui avait une espèce de robe spécifiquement juive. Il nous avait écrit après la Première Guerre : « J'ai bien travaillé pour les patries. » Un de ses fils se battait d'un côté et le second de l'autre. Je me demande comment il se serait comporté le jour où il aurait découvert que ses voisins étaient devenus des ennemis, le jour où ces voisins avec lesquels il avait des rapports d'amitié, de courtoisie, ne l'auraient plus salué.

« Non, je n'avais pas envie de me retrouver seule ici. Le survol était suffisant... tout juste supportable puisque je justifiais ma présence par un film : le présent était donc plus fort que le passé, sinon je ne l'aurais pas supporté... Deux ou trois fois j'ai senti que cela pouvait être douloureux si j'acceptais que ce le soit. Je pense qu'il fallait faire ce pèlerinage, mais que je n'avais pas assez de force pour le supporter. Je me suis dit : maintenant je suis vieille, j'ai eu ma part ; c'est un peu inutile. Je ne peux pas dire que j'ai retrouvé mon enfance, mes vacances, mais je sais comment cela pouvait être. Je vois les flèches indicatrices. J'ai senti que si je m'étais appliquée, si j'avais accepté la souffrance qui en naissait, j'aurais pu aller beaucoup plus loin. Mais j'ai cru qu'il ne fallait pas me faire souffrir inutilement. Plus profondément, j'aurais pu en tirer autre chose que je pressentais, et je me suis dit : « A quoi bon ? » J'y suis donc allée superficiellement. Le lien avec les miens a été renforcé et après ce voyage je n'ai plus l'impression comme autrefois d'une coupure absolue.

— Au lieu d'une ouverture, lui dis-je, ce fut peut-être un voyage de fermeture.

— Je me dis presque que c'était un voyage de liquidation. Maintenant c'est fini : mon grand-père et ma grand-mère sont enterrés là-bas. Mais mes quatre oncles n'y sont pas. Le nazisme est passé dessus. C'est fait. La page est tournée. Ce que je regrette de mon enfance, la ville d'aujourd'hui n'y est pour rien...

Après le voyage florissant de Java-Bali, la « liquidation » de Magdebourg, il fallait bien parler à Clara, à quatre-vingt-quatre ans, de son dernier voyage.

— Cela me gêne, lui ai-je dit, qu'à la veille de vos quatre-vingt-cinq ans, nous parlions justement de la vieillesse et de la mort. Mais après tout vous êtes toujours jeune et vivrez bien jusqu'à cent ans.

— Je ne le souhaite pas, mais j'ai toujours été dans certains domaines un peu en retard. Plus précisément j'ai connu une certaine lenteur dans mon développement physique. Si j'ai parlé très tôt, le peu que j'ai grandi est venu tardivement. Je n'ai jamais paru mon âge et tout ce qui était ma féminité est venu lentement. J'ai appris à lire à huit ans. J'ai passé mon bachot à vingt ans, je me suis mariée à vingt-quatre ans, quand il était d'usage de se marier à dix-neuf ans. J'ai eu ma fille à trente ans bien passés.

— Vous avez poursuivi votre enfance un peu plus longtemps que les autres...

— Je me suis en quelque sorte imprégnée de mon enfance dont j'ai gardé l'amour des contes et une grande capacité d'accueil à l'Irréel. Mais surtout, malgré certains moments de gravité, et même de tragique dans ma vie, j'ai longtemps conservé une certaine puérilité et ma vivacité n'est sans doute qu'une sorte de retard dû à ma lenteur de développement. Je peux dire que cette lenteur dans mon évolution m'a valu une vie de femme plus longue que celle de la moyenne des femmes.

— L'âge que vous avez aujourd'hui vous donne-t-il des regrets ?

— Certaines choses me sont pénibles ; ce n'est pas seulement la fatigue, mais une forme de dispersion qui fait qu'une idée importante — ou sans importance — s'impose au milieu du livre que je suis en train de lire. Je me sens aussi plus indifférente, quelquefois, mais pas toujours. Tenez, les derniers événements du Liban m'ont fait prendre conscience que je pouvais être aussi violente qu'autrefois devant les attitudes antisémites que certains se mettaient à afficher. J'ai été surprise de voir la facilité avec laquelle me revenaient les arguments durs. Enfin, à mon âge, sur le plan physique je fais à peu près encore tout ce que je veux. Il y a pourtant des choses que je ne pourrais plus faire comme autrefois, circuler pendant des jours dans le désert, manger n'importe quoi, dormir, ne pas dormir. Mais enfin je prends facilement l'avion, je découvre encore des pays comme le Canada. Je compte aller bientôt au Sénégal. Je me dis que je suis très vieille, mais je suis encore dans la vie, le présent se déroule encore avec moi.

— Et vos rêves, sont-ils aussi précis qu'autrefois ?

— Pas tous, mais mon rêve politique, celui d'une société meilleure, est aussi vivace en moi que lorsque j'avais trente ans. Je garde aussi le besoin de croire que l'homme n'est méchant que par accident ou par nécessité.

— Vous considérez que les êtres humains sont naturellement bons ?

— C'est drôle, mais je ne me suis jamais tout à fait posé la question.

— Cela vaut mieux.

— Je crois surtout que les hommes se croient à tort et à travers attaqués, menacés. Alors ils se défendent. Etre tant soit peu « discuté », pas tout à fait admis, les inquiète. Plus les hommes que les femmes, du reste, car ce sentiment les rend souvent plus malheureuses que méchantes.

— Vous avez donc une vieillesse plutôt agréable ?

— Il y a une vraie raison pour que je ne trouve pas la vieillesse affreuse : pendant toute la partie de ma vie où j'ai vécu avec Malraux, je n'étais rien. Et c'était d'autant plus dur pour moi que j'avais été quelque chose. Puis j'ai été la femme répudiée du grand homme. Peu à peu, à travers la curieuse indépendance que m'a donnée la guerre, j'ai repris forme et cessé d'être transparente. J'ai redécouvert mon existence personnelle et en tant qu'écrivain. Les gens me reconnaissent dans la rue, me parlent un peu comme à une amie. Cela crée autour de moi une sorte de chaleur. C'est une chose merveilleuse d'avoir, surtout à mon âge, des rapports vivants avec les autres, néanmoins, le plus grand changement, me semble-t-il, qui me fait prendre conscience de mon âge, c'est que je fais moins de projets. En fait ma vieillesse est très supportable. A la différence de beaucoup d'autres, j'ai été lente à pouvoir faire la moisson de ce que j'avais semé. Je vois à présent cette récolte engrangée et ne la trouve pas trop décevante.

— Et la mort ? A certains moments de votre vie, vous avez vu la mort d'assez près.

— Sous des formes bien différentes. Rarement celle de la maladie, mais souvent celle du combat, de l'affrontement, celle de l'accident plus ou moins provoqué né de l'accomplissement d'une décision.

— Avez-vous évolué dans l'idée que vous vous faites de la mort ?

— Mes idées en ce qui la concerne ont toujours été fluctuantes. J'ai été élevée dans un tel amalgame de religions que je n'ai pu adhérer vraiment à aucune d'entre elles. Ma nature mystique est certaine, mais que ce mysticisme soit informe est non moins certain. A l'heure actuelle, on nous écrase de découvertes scientifiques qui me laissent rêveuse. Elles n'expliquent toujours pas pourquoi derrière la mort il y a quelque chose. Un de mes amis m'a fait remarquer que par cette approche je confondais science et métaphysique. Il doit avoir raison. En tout cas, je crois que pour l'essentiel il n'y a pas de réponse et qu'il est un peu prétentieux de croire qu'il y en a.

— Mais enfin, croyez-vous à l'autre vie, à la métempsycose, au retour au grand tout ?

— Je dirai qu'en ce domaine toute hypothèse me paraît valable. Tous les « après » me paraissent possibles, y compris qu'il n'y ait rien du tout. Cela me gênerait qu'il n'y ait rien. J'ai toujours eu le goût du romanesque. Que cette aventure s'arrête là me laisse un peu attristée, car j'ai assez de vitalité pour vouloir qu'à cette aventure en succède une autre.

— Vous préféreriez en quelque sorte pouvoir écrire un livre de l'autre côté ?

— Très nettement. Je voudrais planter sous une forme ou sous une autre mes fleurs. Je ne peux pas dire que le rien m'effraie, mais il m'est désagréable. J'ai déjà raconté dans mes Souvenirs ce que Bernard Groethuysen avait répondu à André qui lui avait demandé ce qu'il dirait si après sa mort il se réveillait devant le Dieu des chrétiens : Eh bien Groethuysen a répondu « Seigneur, je ne croyais pas que c'était si bête que ça ! »

Et vos morts, vous parlent-ils ?

– Je dirai qu'ils ont d'autres choses à faire.

— André Malraux ?

— Pas du tout. D'ailleurs, ce qui m'agace dans les trois quarts des gens qui ont eu — disent-ils — des rapports avec les morts, c'est que ces rapports sont semblables à ceux qu'ils ont eus avec les vivants. Ce n'est pas la peine. Ceci dit, je pense souvent à mon père et à ma mère, mais comme à des vivants...

— Vous les poursuivez dans votre propre mémoire.

— Oui, sous la forme où je les ai connus ou imaginés. Vivre dans la mémoire des autres ne concerne pas les morts — s'il n'y a rien — mais les vivants. Je suis du reste fort étonnée lorsque je vois des gens — André était du nombre — qui construisent leur vie en fonction d'un avenir où ils ne seront pas. Qu'ils soient connus ou inconnus ne changera rien à leur Néant. Si notre univers lui-même n'est pas éternel, notre civilisation et les valeurs qu'elle implique le sont encore moins. Tout recommence autrement : si les hommes du passé voyaient l'idée que nous nous faisons d'eux, ils seraient stupéfaits... Pour nous cependant il y aura par rapport à ceux du passé une différence essentielle : c'est la première fois dans l'Histoire que les acteurs ou les témoins du changement ont conscience de ce changement...

— Le vrai problème est donc de savoir s'adapter à l'avenir.

— J'irai plus loin, c'est de le susciter...

Ce fut le dernier dire de Clara avant de disparaître...

Quatre-vingt-cinq ans
et la mort

J'avais passé de longs après-midi avec Clara dans son petit appartement de la rue de l'Université irradié de ses rêves de Chiraz et de ses têtes gréco-bouddhiques. J'avais peine à m'en détacher.

Ce soir-là il fallait bien partir, dire au revoir, pas adieu, aller faire décrypter les dernières bandes où sa voix aiguisée voulait porter sur le monde quatre-vingt-quatre ans d'espérance. Elle croyait l'œuvre achevée, « dite », et pouvait s'en aller se reposer, quelques jours, chez ses amis du Moulin d'Andé. A son retour, pensais-je, elle reverrait tout cela. Elle pourrait reprendre cette broderie, cet ouvrage, comme on dit dans le domaine des femmes, pour en faire un livre qui — avec ma « précédente » complicité — serait totalement le sien. Quant à moi j'avais le sentiment d'une certaine plénitude, d'un travail accompli, le retour d'un voyage, quand on arrive au port et que va commencer la ronde des souvenirs.

Alors, au revoir !

A bientôt ! Je pensais la voir à son retour encore toute remplie de projets... Elle se sentait en forme. « Ça, je le dirai bientôt à la télévision. C'est mon heure. Ce passage, je le lirai tout entier au Sénégal lors de mon prochain voyage pour un congrès de femmes. Et puis après je vais commencer un nouveau livre pour apprendre aux enfants la peinture moderne en la faisant sortir de l'écorce d'un arbre. Au revoir, à bientôt. » Je repris ma voiture avec mes dernières bandes en me disant : « j'avais raison tout à l'heure, elle vivra bien cent ans ». Elle a plein de projets. Cela fait vivre. Car la mort c'est l'abandon d'un projet. Nous avons tout le temps. J'avais tort. Je ne revis plus, dans la brume de décembre au sein du « quartier juif » du cimetière Montparnasse, entouré de sa fille, de son gendre et de ses proches dont l'émotion s'exprimait par le silence affectueux, que son cercueil.

Quelques jours auparavant une amie m'avait téléphoné, à minuit, la nouvelle. Ce fut pour moi un choc en retour. Pas possible ! Cet arrêt subit de la parole, cette extinction de la voix. Cet engloutissement d'un conte qu'elle m'avait lu tremblante, assise sur son canapé dans le déclin d'une soirée de fin d'automne : quelques jours à peine, debout, vivante. Aujourd'hui renversée, arrêtée... Elle était montée dans sa chambre. Elle avait pris un livre. Et sans qu'elle s'en rendît compte, le projet de vie s'était envolé... Un simple arrêt du cœur pour celle dont le cœur avait été la raison de vivre.

C'était donc à moi de poursuivre s'il se pouvait. Dans un sens je savais que c'était mon devoir — elle l'aurait voulu — de publier ce témoignage en l'état, même imparfait. Mais de l'autre, je me sentais mal à l'aise. Chargé de m'éclipser derrière sa vie, je me trouvais sans l'avoir voulu en première ligne. Laisser choir ce message dans une tombe à moitié entrouverte eût été la preuve d'un abandon. D'un refus de paternité, fût-elle ou non légitime.

J'envoyai « les entretiens » à quelques « éclairés » dont j'avais l'avantage qu'ils étaient à la fois ses amis et les miens. Ils me conseillèrent d'aller de l'avant.

Je finis par en référer à Florence Resnais sa fille « et la moitié de sa vie ». Nous avons déjeuné chez « le

Petit Chinois », où j'avais tant bavardé avec sa mère et préparé les entretiens devant un éternel bœuf aux oignons. Cette fois je me trouvais devant le juge ! Deux ombres père et mère, André-Clara, se trouvaient derrière elle et se fondaient l'une et l'autre — chêne qu'on abat, graine qu'on sème — dans le visage réunifié de leur fille, succès de leur amour et témoin de leur désastre.

« Allez Christian, me dit Florence. Elle l'aurait voulu » : Sauf que je ne savais pas où aller, ni que faire...

« Je suis si près du sujet, lui dis-je, que maintenant je me sens en dehors. » Je repris tous les textes et me mis très délicatement à arrondir les angles puis à m'effacer pour la laisser apparaître le plus possible toute seule, comme cette femme dont la vie entière avait été une manière d'être, de sentir et de participer.

Un an je laissai dormir ce qui était plus de la moitié de ce livre sans cesse à reprendre et sans cesse terminé... Je m'impatientais de ne plus pouvoir lui poser de questions pour rectifier le tir ou préciser un point nébuleux. Je n'avais plus en face de moi que le silence d'une image qui au fur et à mesure s'échappait dans des lointains de plus en plus obscurs. Et puis exaspéré, je décidai de laisser reposer tout cela, jusqu'au jour où « l'inspiration reviendrait » de façon naturelle. Oubliant, du moins je le croyais, Clara, j'entrepris un autre travail.

Bien mal m'en prit ; au bout de quelques mois Clara était revenue. Elle me parlait. Elle me traitait de renégat, elle me donnait des ordres. Elle ne voulait plus me laisser tranquille. Clara « l'Abeille » devenait Clara l'obsession. Elle était en moi désormais et reprenait toute la place. Au fil des jours je la revoyais de mieux en mieux, comme une douce statue souriante devant laquelle je devais enfin déposer mon offrande.

Je refermai mon autre livre, et me retournai de

nouveau vers mes amis, et mes pairs les donneurs de conseils. L'excellent Hubert Niessen, après Bernard Privat, m'écrivit une bien belle lettre qui me décida sur le parti à prendre : « Les entretiens tout nus ne sont pas assez explicites si vous ne faites pas une biographie-interview qui leur donnera alors toute leur dimension. »

Je m'en ouvris à Florence qui ajouta : « Ce sera long. »

Presque trois ans. Je relus toute l'œuvre qui donnait à ces entretiens leur dimension puisque chaque parole de Clara est intégrée dans le témoignage de sa vie. Tout en y ajoutant quelques-unes de mes réflexions, j'entrepris donc de renforcer les paroles de Clara par ses propres écrits. Je laissai à André Malraux un rôle secondaire, excluant aussi volontairement tous ceux qui avaient écrit pour la louer ou la détruire afin que ce livre — écrit par un autre et « dit » par elle — fût, malgré son absence, tout à fait le sien. Ainsi serait aussi respecté ce qu'elle avait écrit dans *la Lutte inégale* au sujet de la mémoire qu'elle laisserait aux vivants : « Si quelque chose m'attend, que ce soit le néant ou les pires châtiments... Mais qu'on ne m'atteigne plus là où je serai l'image que garderont de moi les vivants. Je ne veux plus être déformée dans ces miroirs que sont autrui. Vous tous qui vivrez quand je serai morte, vous ne savez rien de moi, vous n'avez pas le droit de me juger. »

Et voilà ! Clara, j'ai publié votre message sans tenir compte du jugement des autres. Fidèlement, je crois, et sans me retirer tout à fait puisque dans ces pages je fus sans cesse avec vous. C'était une image de votre vie — inachevée. Si vous poursuivez là-haut votre rêve, peut-être trouverez-vous ici ce que vous pensiez être votre réalité. Vous n'auriez pas aimé que votre complice vous mitonnât un plat de sa cuisine personnelle, ni qu'il vous abandonnât à mi-chemin. Et vos lecteurs, vos spectateurs, ceux que vous ne voyez plus de là-bas, d'ailleurs et de nulle part, ont bien le droit de savoir ce que faute d'écrire vous avez « dit » toute vivante « à quatre-vingt-cinq ans moins un jour ! »

Annexes

1

Les dates essentielles de la vie de Clara Malraux

22 octobre 1897 – Naissance rue Gay-Lussac, à Paris, de Clara Goldschmidt, d'une famille d'origine allemande, naturalisée française. Père homme d'affaires, deux frères. Enfance dans un petit hôtel particulier d'Auteuil, avenue des Chalets.
Vacances à Magdebourg chez les grands-parents maternels Heynemann.

1907 – Premiers journaux intimes.
Elève à l'Institut Sainte-Clotilde.

1911 – Au Cap-Martin avec ses parents.
Mort de son père à Baden-Baden.

1914-1918 – Guerre mondiale. Le frère aîné est mobilisé, sa mère menacée de perdre la nationalité française. Clara au lycée.

1918 – Mort de la grand-mère Heynemann. La Victoire.
Fiançailles éphémères.

1919-1920 – Fiançailles rompues. Début des années folles. *Les Nourritures terrestres, la Garçonne*. Fait des vers, entreprend une pièce de théâtre.

1921 – Rencontre avec André Malraux chez Claire Goll. Il a dix-neuf ans. Elle en a vingt-quatre. Voyage en Italie, à Florence. Mariage. Rencontre avec Chagall, Céline, Radiguet.

1922 – Voyage à Vienne, à Prague et Magdebourg. Berlin, influence de Spengler, des expressionnistes. Influence de Freud (*Journal psychanalytique d'une petite fille)*. Rapports avec la NRF, Rivière, Arland, le dadaïsme.

1923 – Découverte des sculptures Thaï au musée de Cologne. Début du *Livre de Comptes*. Spéculation. Voyage en Tunisie et à Bruges avec Arland. Malraux réformé à Strasbourg.
La chute de la Bourse termine deux ans d'irréalité merveilleuse.
Projettent de partir au Cambodge vendre des statues khmères. Mission Phnom-Penh-Siam-Réap. Arrêtés et inculpés le 24 décembre 1923.

1924 – Résidence surveillée, suicide simulé. Retour de Clara en France (août 1924). Procès de Malraux à Phnom-Penh. Affrontement avec la famille qui exige le divorce. Aide d'André Breton.

1925 – Elle remue les milieux intellectuels parisiens. Malraux condamné est élargi.
Septembre 1925 : manifeste des *Nouvelles littéraires* en faveur d'André Malraux, signé, entre autres, de Gide, Mauriac, Mac Orlan, Paulhan, Max Jacob, Gallimard, Soupault, Aragon, Breton, Arland.
Rencontre avec le ménage Doyon et l'avocat Monin.
Retour de Malraux en France.
Départ pour l'Indochine, Saigon. Fondent un journal réformiste avec Monin, *l'Indochine enchaînée*. Rencontre avec les représentants du Kuo-min-Tang.
Le quotidien après quatre numéros disparaît en août 1925. Retour en France.

1926 – S'installent à Passy. Rencontre avec le ménage Léo et Madeleine Lagrange.
Malraux publie *la Tentation de l'Occident*.

1927 – Clara traduit le *Journal psychanalytique d'une petite fille*. Elle collabore à l'Ecole européenne. Métier éphémère de professeur de musique. Malraux publie *Rien que la terre*.
Rencontre avec Groethuysen et Maurice Magre.

1928 – *Les Conquérants*.

1931 – Voyage en Perse et en Afghanistan : achat des têtes gréco-bouddhiques.

Retour par la Chine, le Japon, la Corée, Vancouver et New York.

1932 – *La Voie royale*. Suicide du père de Malraux.
Barbusse, R. Rolland, Breton, Nizan, Aragon, Malraux, Giono fondent l'Association des artistes et écrivains révolutionnaires.

1933 – Croisière au Cap Nord.

Mars – Naissance de Florence Malraux, douze ans après leur mariage.
Traduit Sophie Lasarsfeld.

Décembre – Malraux obtient le Goncourt pour *la Condition humaine*.

1934 – Vivent dans un appartement rue du Bac.
Premier voyage de Clara en Palestine (Haïfa).
Voyage en Allemagne pour défendre les syndicalistes communistes de Wuppertal. Passage à Berlin.
Manifestation du 9 février à Paris.

1935 – Malraux survole le royaume de la reine de Saba avec Corniglion-Molinier.

1936 – Voyage de quatre mois en Russie pour le congrès des Ecrivains (Nizan, Gorki, Babel, Pasternak).
Participation active au Front populaire. Léo Lagrange sous-secrétaire d'Etat dans le gouvernement Léon Blum.
Départ pour la guerre d'Espagne. Escadrille de Malraux. Madrid, Tolède. Accident d'André Malraux en Espagne en décembre 1936.
Clara milite dans le groupe de résistance allemand Neu Begin.
(Elsa et Aragon).

1937 – Gide en URSS.

1938 – Mort de la mère de Clara.
Elle collabore au *Voltigeur*.
Nouvelles rencontres de Pontigny. Bachelard.
Pacte de non-agression germano-soviétique.

1939 – 1er septembre : attaque allemande en Pologne. Juin 1940, Clara se rend dans le Lot avec Florence, puis à Toulouse et Montauban. Elle commence *Grisélidis* dans les Causses, terminé en 1942.

1941 – Toulouse : Cassou ; Jankélévitch, Léo Hamon, Edgar Morin.
Hiver froid : maladie de Florence.

1942 – 18 janvier : dernière entrevue avec André Malraux à Toulouse.
Juin : milite dans le mouvement des Prisonniers de guerre et des Déportés (M.N.P.G.D.). Termine *Grisélidis* qu'elle donne à Blanzat.
11 novembre : invasion allemande de la zone libre.

1943 – Voyage à Paris.
Arrestation du réseau M.N.P.G.D. au nord-est d'Ambérieu. Le Moin'g et Jean exécutés. Noël à Montauban avec l'oncle du Recebédou.
Mission à Lyon, René Tavernier ; *Confluences*.

1944 – Errance avec Florence. Persécutions antisémites. Nouveaux papiers à Aire-sur-l'Adour après une nuit d'attente. Se rend à Dieulefit dans la Drôme, réseau né autour de Ulman : Pierre Emmanuel, Viollis, Mounier.
Clara veut sauver des prisonniers allemands menacés d'être fusillés.
Libération à Dieulefit, le 7 juin, dans le sud de la France.
Retour à Paris.

1945 – Publication du *Portrait de Grisélidis* (Colbert).

1946 – Publication de *la Lutte inégale*.

1947 – Publication de *la Maison ne fait pas crédit* (réédition en 1981, Temps Actuels).
Divorce officiel avec André Malraux.
Traductions de V. Woolf, Wiechert.

1948 – Voyage en Yougoslavie.
Création de l'Etat d'Israël.

1953 – *Par les plus longs chemins* (Stock).

1964 – *Civilisation du kibboutz* (Gonthier), *Java-Bali* (Rencontre).

1968 – Participe aux événements. Prise de la Société des gens de lettres avec Faye et Pingaud.

1972 – *Venus des quatre coins de la terre* (Julliard).

1963-1979 – *Le Bruit de nos pas* (6 vol., Grasset).
1. Apprendre à vivre (1897-1922), 1963.
2. Nos vingt ans (1922-1924), 1966.
3. Les combats et les jeux (1924-1925), 1969.
4. Voici que vient l'été (1927-1935), 1973.
5. La fin et le commencement (1936-1940), 1976.
6. Et pourtant j'étais libre (1940-1968), 1979.

1980 – *Rahel ma grande sœur...* Un salon littéraire à Berlin au temps du romantisme (Ramsay). S'engage dans le combat pour Israël.

1980-1982 – Entretiens avec Christian de Bartillat.

1981 – Voyage à Magdebourg.

1982 – 9 décembre : fin des entretiens, six jours avant sa mort.

15 décembre : mort de Clara Malraux, à quatre-vingt-cinq ans, au Moulin d'Andé.

2

Ouvrages de Clara Malraux

Portrait de Grisélidis, Colbert 1945.
Contes de la Perse, A l'enfant poète 1947 et Editions G. P., Rouge et Or 1972.
La maison ne fait pas crédit, Bibliothèque Française 1947 et Temps Actuels 1981.
Par de plus longs chemins, Stock 1953.
La lutte inégale, Julliard 1958.
Java-Bali, Rencontre 1964.
Civilisation du Kibboutz, Gonthier 1964.
Venus des quatre coins de la terre, Julliard 1972.
Le bruit de nos pas, Grasset 1963-1979.

1. Apprendre à vivre, 1897-1922.
2. Nos vingt ans, 1922-1924.
3. Les combats et les jeux, 1924-1925.
4. Voici que vient l'été, 1927-1935.
5. La fin et le commencement, 1936-1940.
6. Et pourtant j'étais libre, 1940-1968.

Rahel ma grande sœur, Ramsay 1980.
Pièces de théâtre inédites :

L'impermanence
Le jeu
Le silence
Le vieux cheval

Nombreuses traductions, notamment
Freud : *Journal psychanalytique d'une petite fille.*
Virginia Woolf : *Une chambre à soi*
Conversations avec Janouche de F. Kafka.

Table des matières

Achevé d'imprimer en janvier 1986
sur presses CAMERON
dans les ateliers de la S.E.P.C.
à Saint-Amand-Montrond (Cher)

N° d'édit. : 720. N° d'imp. : 3215-2087.
Dépôt légal : janvier 1986.
Imprimé en France